Information Study for a Passport to the New Era

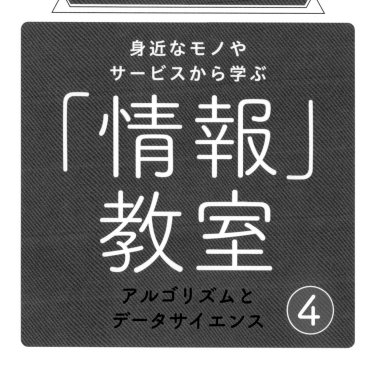

身近なモノや
サービスから学ぶ

「情報」教室

教室

アルゴリズムと
データサイエンス ④

土屋誠司 編／鈴木基之 著

創元社

目次

はじめに

　2022年度から高校での「情報⑴」の授業が必修化され、文系・理系にかかわらず、全員が学習することになりましたね。コンピュータが苦手な人は、「なんでプログラミングとか勉強しなきゃいけないの…」と思っているかもしれません。将来IT関係の仕事をやりたいわけでもなし、プログラミングなんて不要、と思っている人も多いのではないでしょうか。確かに、将来仕事でプログラミングを使う人は多くはないでしょう。でも、高校でプログラミングを学ぶ意味は、「プログラムが書けるようになる」だけが目的ではないのです。

　プログラムは「言葉」です。ですから、プログラムの知識があっても、それだけでは何も作れません。例えば英語が得意な人がいたとしても、英語のスピーチ大会で「話すネタ」がない人は何も話せませんよね。同じように何か具体的な問題があった時に、プログラムを使って「どう解決するか」手順を考えられる人でないと、プログラムは書けないのです。

　この「具体的な問題を解く手順」をアルゴリズムと呼びます。本書では身近にある問題を題材にし、その問題を解決するアルゴリズムについてわかりやすく解説しています。是非みなさんも本書を読み、問題を解決する手順を一緒に考えてみましょう。こうした能力はプログラムを書く時だけではなく、普段の生活で大いに役立つと思います。どうすれば問題を簡単に解決できるのか、パズルを解くような感覚で楽しんでもらえたら、と思います。

鈴木基之

1

アルゴリズム

この章で学ぶ主なテーマ

アルゴリズムとは
よいアルゴリズムの指標
フローチャート

「身近なモノやサービス」から見てみよう！

　何かわからないことがあると、まず使うのが「ネット検索」。適当なキーワードを入れて検索をかけると、大抵のことについて「答え」が書かれたページが出てきます。それをちょこちょこと眺めれば問題は解決。宿題で出された問題の答え（らしきもの）も出てきたりして、もはやネット検索は現代人にとって必須の技術になりました。

Castleski / Shutterstock.com

　さて、ネットで検索するといくつもページが出てくるわけですが、みなさんはどのページを見ていますか？　だいたい上から順番に見ていきますよね。そして、それらしい答えを見つけると終わり。では、検索して出てくるページの表示順は一体どうやって決められているのでしょうか？

ネットで検索して出てくるページは、答えがばっちり書かれている
ページから、ほとんど関係がないページまでいろいろあります。検索
する側としては、自分が調べたいことが書かれた「ちゃんとした」ペー
ジを見たいわけで、そういうページがリストの上位に並んでくれると
嬉しいですよね。

　そのため検索サイトでは、なるべく有用な情報が書かれているペー
ジから表示するように、順番の決め方（アルゴリズム）が定義されて
います。単に検索に使われたキーワードが含まれているか、というこ
とだけではなく、そのキーワードの出現回数やページ内の見出しに使
われているかどうか、そのページが他のページからどれくらいリンク
されているか（外部からのリンク数が多い方が有用な情報が載ってい
ると考えらえる）など、いろいろな要素を使って順番を決めています。

　このようにして決められる順番ですが、今度は「ページを作ってい
る人」からすると、自分が作ったページを上位に表示してほしいです
よね。そこで、なるべく上位に表示されるように、ページの中身を書
き変えていくわけですが、一般に検索サイトのアルゴリズムは非公開
なため、どうすれば上位に表示されるのか簡単にはわかりません。

　そんなときにどうするか？　世の中には「こうすれば上位に表示さ
れますよ」と有料で教えてくれる専門の企業があったりします。こう
した企業にお金を払って、いろいろと教えてもらうわけです。中には、
自前で大量のページを作っておき、表示順を上げたい顧客のページに
対して大量のリンクを貼るといったことまでするケースもあるそうで
す。そんな裏の事情を知ると、本当に検索上位に表示されたページを
見るだけでよいのか、ちょっと考えてしまいますね。

アルゴリズムとは

　何らかの問題に対してどのようにすればよいか、その方法を示した具体的な手順のことを**アルゴリズム**（algorithm）と呼びます。

答案の並べ替えの方法 ……………………………………………………

　高校生のＡさんが、あるとき「バラバラに集めた答案用紙をクラスの出席番号順に並べ直してほしい」と、担任の先生から頼まれたとしましょう。答案の枚数は多く、すぐには終わりそうにありません。さて、どうやって並べ替えれば、早く簡単に終わるでしょう。みなさんもＡさんになった気持ちで考えてみてください。

　Ａさんはどんな方法を思いついたでしょうか。まずは1枚ずつ答案を手にとり、出席番号順になるように束の中に差し込んでいくという方法があります。1枚目を手にとり、2枚目の出席番号が1枚目より先であれば上に重ね、そうでなければ下に重ねる。3枚目も同じようにして適切な場所に差し込んでいく。これをどんどん続けていけば、最後までいくと出席番号順に並んだ束ができることになりますね。

　でもこの方法だと、後半になってくると差し込む場所を探すのが大変になってきます。クラスの人数が30人くらいであればまだいいですが、200人とかだったら大変です。では、全体の枚数が多くても無理なく作業できるようにするにはどうすればいいでしょうか。例えば、最初に出席番号が1桁の人、10番台の人、20番台の人というように束を分けるという方法がありますね。そうすれば1つの束はたかだか10枚になります。このようにして答案全体をいくつかの束に分け、それぞれ並べ替えを行います。その後1つに重ねていけば、比較的簡単に並べ替えられそうです。

　Ａさんも同じことを思いつきました。でも、作業内容を想像してちょっ

と嫌になりました。「いくら 1 つの束の枚数が少ないとしても、その束が
いっぱいあるんだから面倒なことに変わりはないよなあ」。そこで A さん
が思いついたすばらしい方法、それは「友達に手伝ってもらう」でした。
みんなで作業を分担すれば、すぐに終わるじゃないか！

アルゴリズムを考えるときのポイント ……………………………

　アルゴリズムを考えるときは、この A さんのように、自分でアルゴリ
ズムを考えて自分で実行するだけではなく、考えたアルゴリズムを他人に
示し、他人に実行してもらう場合も想定します。そのため、他人が見ても
理解でき、ちゃんと実行できるようにしておくことが重要です。アルゴリ
ズムを考える際には、以下のことに注意する必要があります。

◆ 誰でも実行できるよう「具体的な手順」で記述する

　例えば A さんに指示を出した先生のように「並べ替えておいて」とだ
け指示するのは不十分です。どうやって並べ替えをすればよいのかの指示
がないので、その方法を A さんが考えなければなりません。アルゴリズ
ムの記述においては、何をどうやっていけばよいのか、こと細かく具体的
に書かれている必要があります。指示された人は何も考えず、ただ言われ
たとおりに実行すればよいという状態にすることが必要です。

◆ どんな場合でも最後まで実行できる

　先生が指示してきた並べ替えの方法は、答案の枚数が 30 枚までならで
きるけど、それ以上になったら実行できない、そんな指示では A さんは
困ってしまいます。「答案を並べ替える」という問題を解くアルゴリズム
であるならば、枚数が何枚であろうと指示どおりに実行すれば（時間はか
かるかもしれないけど）必ず並べ替えが成功するというものでなければな
りません。また、実際に実行してみたら指示とは違う状況になった、といっ
た「想定外」もあってはいけません。さまざまな場合を想定し、そのすべ
てについて指示を書いておく必要があります。

　アルゴリズムを考える上で一番大切なのは「ソウゾウ力」です。あえてカタカナで書いた意味は「ソウゾウ力」に2つの意味があるからです。

◆ 創造力

　いろいろな問題に対して、昔からさまざまな人がアルゴリズムを考えてきました。でも、もっとよいアルゴリズムがあるかもしれません。そうしたことを考えるとき、何か公式があるわけでも物理法則があるわけでもありません。「どうやったらもっとよいアルゴリズムがあるか」を考えるのに必要なのは創造力です。パズルを解くときのように「ひらめき」を大切にしてもらえればと思います。

◆ 想像力

　アルゴリズムを考えるとき、実際に操作しながら…ということはあまりなく、頭の中で考えることが多いと思います。ですから、実際の操作を「想像」しないと何がどうなっているのかわからなくなってきます。アルゴリズムを考えるとき、また他の人が考えたアルゴリズムを理解するとき、その操作の様子を具体的に想像してみてください。頭の中で映像化し、何がどう動くのか「動画」として理解することが重要です。また、特に複雑なアルゴリズムの場合は、その中身がいくつかのパーツに分かれていることがあります。それぞれのパーツについて、「なぜそんなことをしているのか」と意味を想像することも重要です。「このパーツは何のためにやっているのか」が理解できると全体の理解も容易になっていきます。

　本書を読んだあなたは、これからいろいろなアルゴリズムを作り出していくことになるかもしれません。そうしたときには、ぜひ「ソウゾウ力」を発揮して楽しく取り組んでいってください。

よいアルゴリズムの指標

「答案の並べ替え」について、いくつかのアルゴリズムを考えたＡさんですが、いざ実行するにあたってどの方法を採用するか悩んでいます。「単純に１枚ずつ差し込んでいくのは後半になると大変そうだし、10枚ずつの束に分けてから並び替えるのは、並び替え自体は簡単そうだけど、先に束に分けるのが面倒そう。友達に助けてもらうにしてもすぐに集まってくれるかわからないし…」。どのアルゴリズムが一番「よい」のか悩みは尽きません。

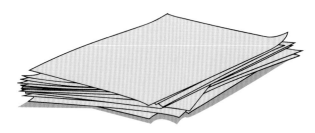

どのアルゴリズムを使うか

一般に「よいアルゴリズム」とはどのようなアルゴリズムなのでしょうか。「なんとなくこちらの方がよさそう」ではなく、例えば数値で示せるような誰もが納得できる判断基準がほしいですよね。アルゴリズムを選択する上でよく用いられている基準（「指標」とも呼びます）には、以下のようなものがあります。

◆ いかに早く終わるか

「同じ結果が得られるならなるべく早く終わった方がよい」というのは、ある意味当たり前ですね。ですので、アルゴリズムのよさを表す重要な指標の一つが「どれくらい時間がかかるか」です。このことを**時間計算量**と言います。時間計算量が少ないアルゴリズムの方がよいということです。

　もちろん、同じアルゴリズムでもデータ量（先の例なら「答案の枚数」）によって、かかる時間はかわります。枚数が少ないなら、どのアルゴリズムでもかかる時間に大きな差はないかもしれません。一方で大量の答案がある場合は、アルゴリズムによってかかる時間が大きく変わってくることも予想されます。ですので、一般に時間計算量を比較するときは「大量のデータを処理する場合、どのアルゴリズムがよいか」で比較を行います。

◆ いかに少ない記憶量で終わるか

　Ａさんが考えた方法の一つに、先に出席番号が 1 桁のもの、10 番台のもの…と分けてから並べ替えを行う方法がありました。この場合、広い机に置き場所を作り、それぞれの束に分けていきます。つまりこの方法は「広い机」がないと実行できないということになります。これは、コンピュータで実行する場合に置き換えると「大きな記憶容量が必要」ということになります。

　このように、アルゴリズムの種類によっては大きな記憶容量（メモリ）を必要とする場合があります。あまりに大きな記憶容量を必要とするアルゴリズムは、搭載メモリ量が小さなパソコンやスマホでは実行できない、ということになります。ですから、アルゴリズムを実行する時間だけではなく、どれくらい少ない記憶容量で実行できるかということもアルゴリズムの「よさ」を示す指標の一つです。この使用する記憶容量のことを**空間計算量**と呼び、これが小さい方がよいアルゴリズムであるということになります。

◆ いかに効率よく多人数でできるか

　Ａさんの友達が手伝ってくれるなら並べ替えは早く終わるでしょう。でも、例えば 10 人の友達が手伝ってくれたら 10 倍早く終わるでしょうか？みんなで仕事を均等に分担してできるのならば、計算上は 10 倍早くなります。でも、うまく仕事を分担しないと、ある人は仕事しているけど、他の人は仕事がなく待ちぼうけという状況になってしまうかもしれません。

こうなると 10 倍早くは終われません。例えば、答案の束を出席番号が 1 桁の束、10 番台の束…と分けてから並べ替えを行う場合、最初に束に分ける作業を A さん一人で行うのであれば、その作業が終わるまで友人達は待ちぼうけになってしまいます。

このように、いかに友人達を「待ちぼうけ」にせずに働いてもらうか、ということもアルゴリズムの「よさ」に関わってきます。複数の友人に協力してもらい、同時に仕事をしてもらうことを**並列化**と呼びますが、いかに作業を並列化し、待ちぼうけを作らないかということも重要な指標になります。

実際にアルゴリズムを考え、実行しようと思うときは、上記のような指標それぞれについて複数のアルゴリズムの「よさ」を検討し、最終的にどれが一番よいか決定をしていく必要があります。

比較回数を計算してみる

ただし、先生から渡された答案が何枚あるのか、そもそもその答案はどの程度「バラバラ」になっているのかといったことで、かかる時間や必要な空間は変わってきます。そのため、時間計算量や空間計算量を正確に計算することはあまり意味がありません。そこで、大量にデータがあったときにどうなるかということを考え、それぞれのアルゴリズムの時間計算量や空間計算量をざっくりと表すことが行われています。このことを**オーダー**と呼び、「こっちの方がよい」や「だいたい同じくらい」といった判断に用います。ここでは具体的にオーダーを計算して、その考え方に触れてみましょう。

例として、A さんが最初に考えた「1 枚ずつ取り出し、出席番号順になるように束の中に差し込んでいく」方法について考えていきましょう。作業にかかる時間は先生から渡された答案の枚数によって変化することは明らかですから、ここでは「n 枚渡された」としておきます。

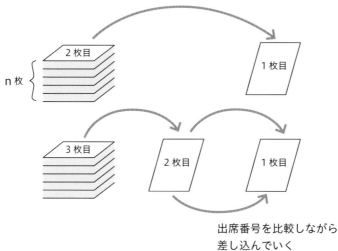

出席番号を比較しながら
差し込んでいく

　まず 1 枚目にすることは、先頭の 1 枚を取って束（現時点ではまだ「束」
はありませんが）を置く場所に置くことです。何も考える必要ありません。
次に 2 枚目に対しては、現時点での束（1 枚しかありません）と比較し、
どこに差し込めばよいかを決めます。具体的には、束にある 1 枚と比較
をするだけでよいですね。

　3 枚目以降になると、束にある答案との比較が増えていきます。束の先
頭から順番に比較していき、差し込むべき場所が見つかるとそこに差し込
みます。さてこのとき、何回比較が必要でしょうか？　例えば束に 10 枚
の答案があるとしましょう。まず 1 枚目と比較して、それよりも出席番
号が小さければ、先頭に答案を挿入して終わりです。一方、1 枚目よりも
出席番号が大きければ 2 枚目と比較する必要があります。以降、比較し
た結果、出席番号が小さければ、そこに挿入して終わり、大きければ次と
比較、ということを繰り返していきます。結局のところ、比較する回数は
「どこに挿入されるか」によって変わってきますよね。最小では 1 回だけ、
最大では 10 回（束の一番最後に挿入される場合）になります。

　「出席番号が大きいときは、束の最後の方に差し込むことが予想できる

からわざわざ先頭から順番に比較なんてしない」と思うかもしれません。そうです、普通はそうやって工夫をしながらスピードアップをはかります。実際にそのような工夫をしたアルゴリズムはよく使われていますが、ここでは話がややこしくなりますので、とりあえず「どんな出席番号の答案が来ても必ず束の先頭から比較していく」という（単純だけど時間のかかる）アルゴリズムで考えていきます。

　このようなアルゴリズムで差し込むべき場所を見つけていく場合、先頭から何枚比較すると差し込むべき場所が見つかるか、ということはそのときの答案の出席番号次第で、必ず何回比較するとは言えません。ですが、比較が 1 回で終わる場合や 10 回かかる場合など、同じ確率で起きると考えれば、平均して答案の数の半分くらいと比較すれば差し込む場所がわかると思ってよいでしょう。平均的な比較回数は 5 回くらいということですね。

　こうして比較をしながら差し込んでいくと、最後まで実行した時の（平均的な）比較回数はどれくらいになるでしょうか。答案の束が 1 枚だけのときは必ずそれと比較するので 1 回、2 枚あれば、比較回数は 1 回か 2 回のどちらかです。どちらも同じ確率（$\frac{1}{2}$）で起きるとすると、平均的には 1.5 回（$= \frac{1}{2} \times 1 + \frac{1}{2} \times 2$）になります。3 枚あれば、平均的には 2 回（$= \frac{1}{3} \times 1 + \frac{1}{3} \times 2 + \frac{1}{3} \times 3$）ですね。同様に、答案の束に k 枚あるとすると、平均的な比較回数は以下の回数になります。

$$\frac{1}{k} \times 1 + \frac{1}{k} \times 2 + \cdots + \frac{1}{k} \times k = \frac{1}{k} \sum_{i=1}^{k} i = \frac{1}{k} \cdot \frac{k(k+1)}{2} = \frac{k+1}{2}$$

　では、全体で n 枚の答案を並べ替えるとき、比較回数は全部で何回になるでしょうか。トータルの比較回数を $W^{(i)}$ と表すと、それは以下の式で計算できます。なお、最後の挿入のとき（n 枚目の答案を挿入する場所を探すとき）は、答案の束は n−1 枚あることに注意してください。

$$\begin{aligned}
W^{(i)} &= \sum_{k=1}^{n-1} \frac{k+1}{2} \\
&= \frac{1}{2} \sum_{k=1}^{n-1} (k+1) \\
&= \frac{1}{2} \left\{ \sum_{k=1}^{n-1} k + \sum_{k=1}^{n-1} 1 \right\} \\
&= \frac{1}{2} \left\{ \sum_{k=1}^{n-1} k + n - 1 \right\} \\
&= \frac{1}{2} \left\{ \frac{n(n-1)}{2} + \frac{2n-2}{2} \right\} \\
&= \frac{1}{2} \left\{ \frac{n^2 - n + 2n - 2}{2} \right\} \\
&= \frac{1}{4} \left(n^2 + n - 2 \right)
\end{aligned}$$

式（1.1）

　これが「順番に 1 枚ずつ差し込んでいく」アルゴリズムにおいて、n 枚の答案を並べ替えるときの時間計算量になります。

　一方で、最初に出席番号 1 桁の束、10 番台の束…と分けた場合はどうなるでしょう？　ここでは「n 枚」ある答案全体を 10 枚ずつの束に分けていくわけですが、n が非常に大きな値になると、束の数（$\frac{n}{10}$ 個）も膨大になってしまいます。その結果、それぞれの束をどこに置いておくか、という問題（空間計算量が膨大になる）が出てきてしまいますね。仮に体育館のような広い場所を使ったとしても、束に分けていく作業で体育館中を走り回らなければならなくなり、そのための時間も考えなければならなくなります。

　そこで、束の数をあらかじめ決めてしまうことにしましょう。そうすれば、答案の総数がどれだけ増えても（1つの束あたりの答案枚数は増えますが）束を置いておく場所が増えることはなくなります。この場合、例えば束の数を5個に決めてしまうとすると、答案の総数が50枚であれば1つの束には10枚の答案、100枚であれば、1つの束は20枚の答案ということになります。

　では、100枚の答案を5つの束にわけ、その後、それぞれの束を並べ替えることを考えてみましょう。まず、100枚の答案を出席番号によって5つの束に分けます。出席番号1番から100番の答案を5つの束に分けるわけですから、最初の束は出席番号が1番から20番まで、次の束は21番から40番まで、といったように分ければいいですね。このとき、100枚の答案すべてについて出席番号を見ながら束に分ける必要がありますから、100回出席番号をチェックすることになります。

　その後、それぞれの束について並べ替えを行います。それにかかる比較回数は式（1.1）で示されているとおりですから、式（1.1）の n に、1つの束に含まれる答案の枚数（今の場合は20枚）を代入すればよいですね。計算してみると、1つの束を並べ替えるのに平均で $\frac{1}{4}$ (20²+20−2)=104.5 回の比較が必要になります。この作業を束の数（5個）だけ行うわけですから、全部で 104.5×5=522.5 回、最初に答案の束を作るための比較回数（100回）を加算して、622.5回ということになります。

　同じ計算を、答案の枚数や束の数を文字で表すとどうなるか、考えてみましょう。最初に分ける束の個数を m 個とすると、n 枚の答案全体を並べ替えるためのトータルの比較回数（$W^{(s)}$ と表しましょう）は以下の式で計算できることになります。ここで、1つの束に含まれる答案の枚数は $\frac{n}{m}$ 枚であることに注意しましょう。

$$W^{(s)} = n + m \times \frac{1}{4}\left\{\left(\frac{n}{m}\right)^2 + \frac{n}{m} - 2\right\}$$

$$= \frac{4n}{4} + \frac{1}{4}\left(\frac{n^2}{m} + n - 2m\right)$$

$$= \frac{1}{4}\left(\frac{n^2}{m} + 5n - 2m\right)$$

式（1.2）

オーダー……………………………………………………………………………

　さて、結局どちらの方法の方が早く作業できるのでしょうか。それぞれの比較回数は式（1.1）と式（1.2）で表されているわけですが、この2つを見比べてもどちらがよいのかよくわかりませんよね。「実際に並べ替えをするときに持っている答案の枚数などを n や m に代入して計算すればよいのでは？」と思う人がいるかもしれません。確かにそのとおりなのですが、毎回計算するのも面倒です。どんなときでも「こちらの方が早い」ということがわかれば、いちいち計算しなくてもよいですよね。ただ、「どんなときでも」というのは言い過ぎで、ざっくりと「こちらの方が少し早そう」とか「どちらも同じくらい」という程度なのですが、それを行うのがオーダーという考え方です。

　これは「データ量（今の場合は答案の枚数）が大きくなっていくと計算量がどのように大きくなっていくかざっくりと考えましょう」というものです。例えば、y=2x のグラフは直線上になっていますよね。y=100x も同様です。この2つを比べると、y=100x の方が同じ x の値に対して y は 50 倍大きいわけですが、「x の値に比例して増えていく」という意味では同じです。一方、y=3x² は x の値に対して2乗で増えていきます。

　これら（y=100x と y=3x²）を比べたとき、大きな x に対してはどちらの y の方が大きくなっていくでしょうか。例えば x=10 のとき、前者

は y=1,000、後者は y=300 ですから、前者の方が大きいですよね。でも x=100 になると、前者は y=10,000、後者は y=30,000 と逆転します。さらに x=1,000 のときは？　x=10,000 のときは？　どんどん差が開いてしまいますよね。結局、x の前の係数がいくつであっても、x より x² の方が x の値が大きくなればなるほど急激に大きな値になっていくということがわかります。

　そこで、x が大きくなっていったときにどれくらい大きくなっていくか、ということを式で表し、それを「オーダー」と呼びます。y=2x や y=100x であれば、O(2x)=O(100x)=O(x) と表します。x の前の係数にかかわらず、ざっくりと「x に比例して大きくなる」ということです。

　一方、y=3x² であれば、オーダーは O(3x²)=O(x²) となります。ざっくりと「x² に比例して大きくなる」わけですから、x が大きくなれば O(x) の式よりも大きくなっていくことがわかりますね。

　では、y=5x²+100x といった式の場合はどうでしょう？　このときの y の値は 5x² と 100x を加算したものになるわけですが、x の値が非常に大きくなると 100x に比べて 5x² の値は非常に大きくなり、y の値の増え方は y=5x² と似たようになります。ですので、オーダーとしては O(5x²+100x)=O(x²) となります。100x の方は、5x² と比較すれば（x の値が大きいときは）小さい値になるので無視するということですね。例えて言うと、1 万円札がたくさんと 1 円玉が何枚かはいっている金庫の総額を聞かれたとき、1 万円札だけ数えて 1 円玉は無視してしまうイメージでしょうか。このように「データ量が非常に大きな場合においてざっくり考える」のがオーダーの考え方です。

　この考え方で、先ほど計算した並べ替えの比較回数を見てみましょう。式（1.2）の中で、m は最初に分ける束の数でしたね。これは最初に決めておく数ですから、答案の枚数 n がどれだけ増えようが値は変わりません。

ですから、普通の数字（2 とか 5 とか）と同じように無視してよくなり、次の計算結果から「どちらも同じくらい」という結論になります。

$$O\left(W^{(i)}\right) = O\left(\frac{1}{4}\left(n^2 + n - 2\right)\right) = O\left(n^2\right)$$

$$O\left(W^{(s)}\right) = O\left(\frac{1}{4}\left(\frac{n^2}{m} + 5n - 2m\right)\right) = O\left(n^2\right)$$

実際に人間が並べ替えを行う場合、「いかに早く差し込む場所を見つけるか」や「何枚手に持てるか」など、いろいろな要素が関係して作業の早さは決まってきますが、答案の枚数が非常に多い状況においては、どちらの方法も「五十歩百歩」ということですね。なんだか想像していた結果とイメージが違うと感じる人もいるかもしれませんが、あくまでオーダーはかなりざっくりとした計算量であり、また n が非常に大きな値である状況での計算量ですから、実際にかかる時間とは結構開きがあることがあります。それでもだいたいの目安にはなるのです。

ちなみにもっと「効率のよい」並べ替えのアルゴリズムを用いると、その比較回数は O(n log n) 程度になります。これは O(n²) のアルゴリズムと比べると、かなり早い アルゴリズムです。実際に比較回数を計算してみると、log の底を 2 として、n=10 のときは O(n²) のアルゴリズムは 10²=100、一方、O(n log n) のアルゴリズムだと、10log₂10=33.2 くらい、n=100 だ と 100²=10,000 に 対 し て、100log₂100=664.4、n=1000 だと 1000²=1,000,000、1000 log₂1000=9,965.8 と、n が大きくなるにつれてどんどん差が拡がっていくことがわかります。なお、こうした効率のよい並べ替えのアルゴリズムについては 2-2 で詳しく説明します。

1-3
フローチャート

　さて、話をＡさんによる答案の並べ替え作業の様子に戻しましょう。「一人でやらずに友達に手伝ってもらう」というすばらしい方法を考え出したＡさんは、みんなが教室に集合するまでに答案をいくつかの束に分ける作業をしていきます。やがて何人かの友達が集まって来ました。Ａさんはそれぞれにひと束ずつ渡し、「これを出席番号順に並べ直して」とお願いします。すると「どうやって並べ替えるの？」との質問。「いや、そこは自分で考えてよ」「それは仕事を依頼する人が指示するべきでしょ」「じゃあ、今から口で説明するよ」「ちょっと待って。覚えられないから紙に書いてくれる？」「えー（面倒だな…）」。仕方なくＡさんは並べ替えの方法を紙に書き出すことにしました。

どうやって「書く」か ……………………………………………

　しぶしぶ並び替えの指示を書き始めたＡさんですが、だんだんややこしくなってきました。

　「まず１枚目を手にとり、次に２枚目の出席番号を見る。それが１枚目より小さければ、１枚目の上に重ねる。もしそうではなくて１枚目より大きければ、１枚目の下に重ねる。次に３枚目の出席番号を見て、１枚目より小さければ上に重ねる。もしそうでなければ２枚目と比べる。２枚目より小さければ、１枚目と２枚目の間に入れる。もしそうでなければ…」

　こんな文章をえんえんと書いていかなければならないのは、とてもじゃないですが大変です。

　このように、アルゴリズムを日本語で記述していこうとすると、文章がどんどん複雑になり、書く方も読む方も面倒なことになってしまいます。

かといって、「あとは同様に」などと省略して書いてしまうと、読んだ人によって違う解釈をしてしまい、正確に伝えることができません。1-1でも説明したとおり、誰が読んでも誤解なく、考えさせることもなく、指示されたことをそのまま実行すればよい、という形で書く必要があります。そのため、並べ替えの手順を省略せず正確に、なおかつ簡潔に書かなければなりません。

そこで考えられたのが**フローチャート**です。フローチャートはアルゴリズムの手順を図で記述する方法で、いくつかのルールに従って記述すれば、簡潔に書くことができます。また、フローチャートは実際のプログラミング言語とも対応がとれるような構造になっていますので、プログラミングを行う際はまずはフローチャートを書き、それを見ながらプログラミングするといったこともよく行われています。アルゴリズムを考えたり、また本当に正しいのか検証したりといったことにも使えますので、ぜひフローチャートの書き方をマスターし、活用していきましょう。

書き方のルール

フローチャートには書き方にいくつかのルールがあります。ルールは1種類ではなく、いくつかのやり方がありますが、ここでは共通して使われることが多い基本的なものを紹介します。

◆ 全体の流れ

フローチャートはいくつかの箱を矢印でつないでいくことで仕事の手順を表します。最初は「開始」の箱から始まり、「終了」の箱で終わります。これらの箱は角のとれた長方形で書き、中に「開始」や「終了」と書き込みます。長方形は「やること」を指示する箱です。箱の中に「やること」を具体的に記述します。なお、「開始」の箱は先頭に一つだけですが、「終了」の箱は（途中で作業を終了する場合があるときなど）フローチャート内に何個出てきてもかまいません。

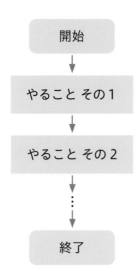

◆ 条件分岐

　状況によって「やること」が変わるときに使います。例えば、「もし出席番号が1桁ならばAをする、そうでなければBをする」といった指示を行うときに利用します。菱形を書き、その中に条件（「出席番号が1桁か？」など）を書きます。もし、その条件が成立する（出席番号が1桁である）ときは、菱形の下から出ている矢印の方へ行き、条件が成立しな

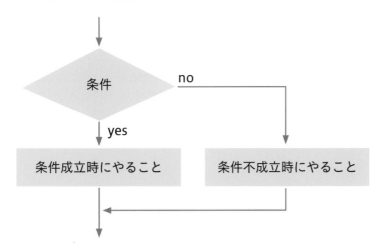

い（出席番号が 1 桁ではない）ときは、菱形の横（右でも左でもかまいません）から出ている矢印の方へと行く、という記述になります。なお、どちらの矢印が「条件が成立したとき」なのか混乱しないよう、それぞれ「yes」「no」と矢印の脇に書いておくとよいでしょう。

　このように条件によって 2 つに分岐するのが条件分岐です。アルゴリズムによっては 3 つに分岐したいといった場合もあると思いますが、そのときは 1 つの菱形から 3 本の矢印を出すのではなく、菱形を 2 つ使って順番に分岐していくように記述します。

◆繰り返し

　「同じことを何度も繰り返す」といったアルゴリズムでは繰り返し記号を利用します。上の両角が切りとられたような六角形と、下の両角が切りとられたような六角形で繰り返したい内容を挟みます。このとき、いつまで繰り返すのか、どうなったら繰り返しを終わるのか、といった条件を六角形の中に記述します。また、繰り返しが複数出てきた場合など、どの繰り返し開始記号（上の両角が切りとられたような六角形）と、どの繰り返し終了記号（下の両角が切りとられたような六角形）が対応しているのかがわかるよう、それぞれの記号内には「ラベル名」を書いておきます。ラベル名はその繰り返しを表す名前です。他の繰り返し記号と重なっていなければ、どのような名前をつけてもかまいません。

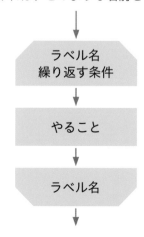

　なお、繰り返しの記号を使わなくても、条件分岐と「戻る矢印」で同じことを記述することができます（下図）。どちらを使うかはその人の好みです。

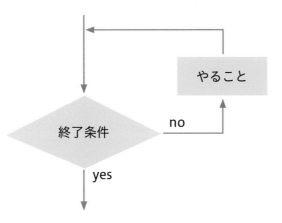

　これらのルールを使うと、アルゴリズムを簡単な図で表すことができます。例えばAさんが考えた「1枚ずつ束の中に差し込んでいく」アルゴリズムは次ページの図のようになります。これを友達に渡して、「このとおりにやって」と言えば、みんな誤解なく正確に実行してくれそうですね。みなさんもアルゴリズムを考えたり他人に伝えたりするとき、ぜひフローチャートを書いてみてください。

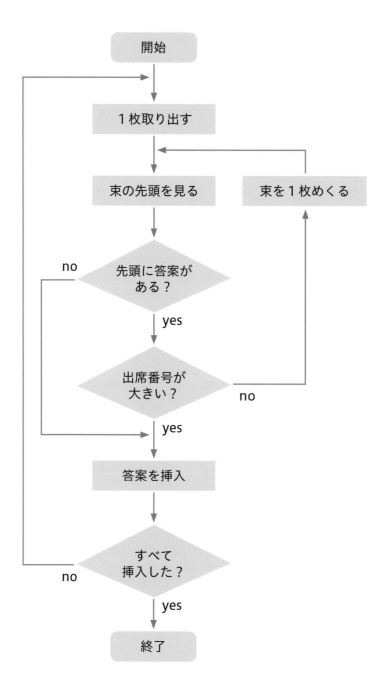

Chapter

2

代表的なアルゴリズム

この章で学ぶ主なテーマ

探索問題
ソーティング
最短経路問題

「身近なモノやサービス」から見てみよう！

　今日はみんなで楽しくドライブ。知らない街まで遠出して、最近SNSで話題になっているラーメン屋さんまで行ってみることにしました。さて、ラーメン屋さんの名前はわかるけど、どこにあるのか誰も行ったことがないのでわかりません。こんなとき、どうしますか？

　そんなの簡単！　ルート案内はカーナビにお任せ、ですよね。お店の名前や電話番号を入力し、あとは案内開始ボタンを押すだけ。どの道を通って、どこの交差点を曲がればよいのか、カーナビが全部指示をしてくれます。しかも、あと何分で到着するとか、近所の駐車場はどこにあるとか、そんなことまで教えてくれて至れり尽せり。何の不安もなく、お店まで楽しいドライブができます。

　では、カーナビがまだなかった時代はどうやっていたのでしょうか。まずお店の住所を調べ、紙の地図を使って、どこにあるかを確認。現在地からお店まで、どの道を通ればよいか考えます。このとき、単純に最短距離で行こうとすると、やたら狭い道を走ることになったり、

曲がる交差点がわかりにくかったりして、かえって時間がかかってしまうこともしばしば。こうしたことにならないように、少し遠回りでも大きな国道を利用するとか、わかりやすい建物がある交差点で曲がるようにするとか、道探しにはいろんなノウハウがありました。

さらに走っている途中は、助手席に座っている人が地図を見ながら現在位置を把握して、「次の交差点を左」なんて指示を出していました。この指示が間違っていたりすると、簡単に迷子になってしまうわけで、助手席に座っている人は責任重大だったわけです。

こうした心配が一切ないカーナビは今ではすっかり定着し、ドライブになくてはならない物になりました。さて、それではそのカーナビはどうやってルートを決定しているのでしょうか。目的地に行くルートには無数の選択肢があり、それぞれ距離や時間、走りやすさなどの違いがあります。単に地図データがあれば検索できるというものではなく、さまざまなことを考慮しながらルートを選び出さなければならないのです。カーナビは一体どんなアルゴリズムを使って運転手の「助手」をやっているのか、みなさんもドライブするときに少し想像してみてください。

余談ですが、運転席の隣りの席は一般的に「助手席」と呼ばれますが、Wikipediaによると、それはカーナビのように運転手の助手をする人が座るからという理由ではなく、大正時代にタクシーの客の乗り降りを手伝う人が座っていたから、だそうですよ。

探索問題

アルゴリズムとは、ある問題を解く方法です。ですので、問題の数だけアルゴリズムがあります。また同じ問題を解くのでも、効率のよいアルゴリズムや悪いアルゴリズムなど、いろいろなアルゴリズムが考えられます。この章では、代表的な 3 つの問題（探索問題／ソーティング／最短経路問題）について、古くから考えられてきたアルゴリズムを紹介します。これらは現代でも非常によく使われており、またプログラム言語を学ぶ際の題材としてもよく用いられます。どのようなアルゴリズムなのか、それぞれどのような特徴があるのか、しっかり学んでいきましょう。

答案を差し込む場所の探し方 ·····································

引き続き答案の束を並べ替える作業をしている A さんですが、すべて友達に任せてしまうわけにもいかないので、自分でも 1 つ束を手に持って並べ替えを始めました。最初は調子よく並べ替えをしていましたが、作業が進むとだんだんペースが落ちてきました。なぜなら、答案を 1 枚手にとり、それをすでに並べ替えが終わっている束の適切な場所に差し込んでいくわけですから、作業が進むにつれて差し込む場所を探すことが徐々に大変になってきます。

今 A さんが行っているのは、現時点で並べ替えが終わっている答案の束の中から、次に差し込む答案の差し込む場所を探すことです。これは言い換えると、順番に並んでいる束の中から次に差し込む答案の出席番号に最も近い出席番号の答案を探す、ということになります。この作業を一般化すると、すでに並べ替えが終わっているデータの集合に対して、あるデータがどこにあるか探す問題と捉えることができます。

こうした作業は答案の並べ替え以外にもいろいろあります。例えば、知らない英単語の意味を辞書で調べるといった作業もこれになります。辞書

は「a」から始まってアルファベット順に単語が並んでいます。その中から目当ての英単語を探すわけですが、そのときみなさんはどうやっているでしょうか？　辞書には「このページからこのページまでが『a』ですよ」といったことがわかるようにページの端に印がついているので、普通はこれを使っておおよその位置を開いてから目的の単語を探していきます。ではもし、こうした印がない「不親切な辞書」があったとしたら、一体どうやって目的の英単語を探せばいいでしょうか？

「不親切な辞書」での探し方 ……………………………………………

　たとえ印がなくても掲載されている英単語はアルファベット順に並んでいるので、最初のページから順番に探していけばいつかは見つかるのは確かです。ただ、普通はそんなことはせず、だいたいの場所を予測しながら開きますよね。例えば「k」から始まる単語であれば、多くの人は「k だから真ん中くらいかな」と予想してページを開きます。そして、そのページに書かれた英単語と目的のものを比較して「もう少し前」「もう少し後」といったことを繰り返していきます。このように、開いた結果に従ってだんだん範囲を狭めていくというのは効率のよい探し方だと言えます。

　この方法だと「だいたいこのページかな」という予想の精度が高ければ高いほど、早く目的の単語を探すことができます。では、先ほどの「k だから真ん中くらい」という予想は、なぜ「真ん中くらい」とわかったのでしょうか？　それは「アルファベットは 26 文字ある」「k は 11 番目」という知識を使っているからです。加えて、「だいたいどのアルファベットで始まる英単語も同じくらいの数がある」という仮定（期待？）にも基づい

ています。しかし、こうした知識が当てはまらない辞書の場合（例えば、「a」
から「n」までの単語しか掲載していない辞書や、各アルファベットから
始まる単語の掲載数にかなりの差がある辞書など）はどうすればよいで
しょうか。こうした特殊な辞書でも、もちろん普通の辞書でも効率的に探
すことができる方法を考えていきましょう。

範囲を狭めて狙い撃つ ………………………………………………

　まず、適当にあるページを開きます。その開いたページにある単語を見
て、目的の単語が開いたページより前にあるのか後ろにあるのか判断しま
す。その結果、「前にある」のであれば、今のページより前にあるページ
を開いてまた比較をする、ということをしていきます。言い換えると、「開
いたページより後ろのページにはない」わけですから、この段階で探す範
囲が狭まったことになります。つまり、一度ページを開くと、そのページ
より前、もしくは後ろのページ全部を探索範囲からはずすことができるの
です。

　ということは、なるべく多くのページを「探索範囲からはずす」ことが
できれば、より早く目的のページを見つけられるはずです。では、どうや
れば多くのページを探索範囲からはずすことができるでしょうか？　例え
ば、1ページ目とその他全部のページに分けるとどうなるででしょう。こ
の場合、もし目的の単語が1ページ目にあれば、一気に探し当てること
ができます。でも「その他全部」のページにあったら、ほとんど探索範囲
は変わらない（1ページ減るだけ）わけですから、ほぼ無駄な作業という
ことになってしまいますね。

　あるページを開いたとき、目的の単語がそこより前にあるのか後ろにあ
るのかはわかりません。ですから、どちらの場合であっても、同じくらい
探索範囲が狭くなるようにするのがよいということになります。それはど
んなときでしょうか？　そうです、半分に分けたときです。辞書のちょう
ど真ん中のページを開き、目的の単語がそこより前にあるのか後ろにある

のかを判定します。そうすれば、どちらの場合でも、探索範囲を「半分」に減らすことができます。ではその次は？　今度は残された探索範囲の真ん中のページを開けばよいですね。こうすると探索範囲は $\frac{1}{4}$ になります。同じように半分、また半分…としていけば、そのうち目的のページを見つけることができます。これが**二分探索**のアルゴリズムです。ちなみに「探索範囲を狭める」といったことをせず、ひたすら「最初の単語から順番に探していく」アルゴリズムは**線形探索**と呼ばれます。

二分探索の計算量 ……………………………………………………

　さて、ここでは探索にかかる時間を考えてみましょう。線形探索の場合、辞書の先頭から順番に探していくわけですから、やっていることは 1-2 で説明した「答案の束を先頭から見ていきながら、手持ちの答案を差し込む場所を見つける」のと同じですよね。ですので、辞書が全部で n ページだった場合、平均的には $\frac{n+1}{2}$ 回の比較が必要ということになります。オーダーでいうと、$O(\frac{n+1}{2})=O(n)$ ですね。

　では、二分探索の計算量（オーダー）はどれくらいになるのでしょうか。1 回比較すると、残された探索範囲は $\frac{n}{2}$ ページになります。2 回比較すれば $\frac{n}{4}$ ページですね。1 回比較するたびに $\frac{1}{2}$ になっていくわけですから、m 回比較すると、n× $\frac{1}{2}$ × $\frac{1}{2}$ …となり、結局 $\frac{n}{2^m}$ ページになることになります。これが最終的に 1 ページになれば、「見つかった」ということですから、$\frac{n}{2^m}=1$ となるような m の値が、見つかるまでに必要な比較回数ということになります。この式を変形してみると次のようになります。

$$\frac{n}{2^m} = 1$$
$$n = 2^m$$
$$\log_2 n = m$$

　結局、目的のページを見つけるには $\log_2 n$ 回比較すればよい、ということになります。オーダーでいうと、$O(\log n)$ ですね。

　これは線形探索と比較して、どれくらい早いのでしょう？　例えば n=8 のとき、線形探索なら 8 回、二分探索だと $\log_2 8 = \log_2 2^3 = 3$ 回となります。では、n=1024 なら？　二分探索だとたった $\log_2 1024 = \log_2 2^{10} = 10$ 回です。n=1,048,576(=2^{20}) なら 20 回、n=1,073,741,824(=2^{30}) なら 30 回。もしこれらを線形探索で行った場合は、それぞれ $\frac{1,048,576+1}{2}$ =524,288.5 回、$\frac{1,073,741,824+1}{2}$ =526,870,912.5 回となるわけですから、すごい差になってきますね。このように、n が大きな数になってくると、$O(n)$ と $O(\log n)$ は非常に大きな差になってきます。

　なお、先ほど説明した二分探索は、その前提として「探索対象のデータが順番に並んでいること」が必要であることに注意してください。例えば、二分探索で辞書から単語を探す場合、辞書内の単語はアルファベット順に並んでいることが必要です。もし単語の並び順がでたらめだと、あるページを開いても目的の単語がそれより前のページにあるのか後ろのページにあるのか判断できません。

　そのような場合は二分探索をする前に、データ全体をちゃんとした順番に並べ替えるという方法もありますが、並べ替え自体に時間がかかってしまいますので素直に先頭から線形探索をする方が早そうです。線形探索は、先頭からひたすら順番に探していくだけですからデータの並び順がどうであっても関係ありません。

ソーティング

　Aさんが先生から頼まれた答案の「並べ替え」は**ソート**や**ソーティン
グ**と呼ばれ、古くから非常に多くのアルゴリズムが考案されています。気
になる人はネットで検索してみましょう。例えば Wikipedia の「ソート」
のページでは、実際には使いものにならないアルゴリズムまで含めて、
30 種類以上のアルゴリズムが紹介されています。

　ここでは A さんが使った方法も含めて、代表的なソートアルゴリズム
をいくつか紹介しましょう。

◆ 挿入ソート

　まず A さんが使った方法がこれです。答案を 1 枚ずつ手にとり、順番
に並ぶように適切な場所に挿入していきます。適切な場所を探すのに線形
探索を利用したとすると、答案枚数を n 枚として、ソート全体にかかる
計算量は 1-2 で説明したとおり、$O(n^2)$ のオーダーとなります。

　一方、挿入する場所を探すのに二分探索を行ったとすると、前節で説明
したとおり、探索にかかる時間のオーダーは現在の束に k 枚の答案があ
るとして、$O(\log k)$ になります。こうして挿入する場所を探しては答案
を 1 枚挿入するということを答案の枚数（n 枚）だけ繰り返すわけです
から、ソート全体での計算量のオーダーは次のようになります。

$$O\left(\sum_{k=1}^{n-1} \log(k)\right) = O\left(\log n!\right) = O(n \log n)$$

　なおここでは、スターリングの公式から log n! が以下のように展開さ
れることを利用しています。

$$\log n! = n \log n - n + O(\log n)$$

◆ **選択ソート**

　単純だけど時間がかかるのが選択ソートです。この方法は、まず全部の
答案をチェックし、一番出席番号が大きい答案（一番小さい答案から抜き
出してもかまいません）を抜き出します。それを隣りに置いておいて、残り
の答案の束からその時点での一番出席番号が大きい答案（全体では二番目
に出席番号が大きい答案）を抜き出し、それを隣りの答案の上に置きます。

　あとはこれを繰り返すだけです。ひたすら束の中から一番出席番号が大
きい答案を抜き出し、隣りの束の上に置いていく。これだけでソートが終
了します。このアルゴリズムの計算量は、一番出席番号が大きい答案を見
つけるのに $O(n)$、それを n 回繰り返すので、全体では $O(n^2)$ となります。

◆ **クイックソート**

　この方法は答案の束をひたすら 2 つに分けていく、ということを行う
ことで並び替えをしてしまうアルゴリズムです。まず、適当な出席番号を
一つ決め、その番号より小さい出席番号の答案の束（TS と名前をつけて
おきます）と、大きな出席番号の答案の束（こちらは TL と呼びます）に
分割して置きます。その後、TS をまた別の（さっきよりは小さい）出席
番号より小さい束（TSS）と大きな束（TSL）に分割します。このとき、
左から順に TSS、TSL、TL と置いておくようにしましょう。同様に、
TL も TLS と TLL に分割して順番に置いておきます。

　このようにして、出来上がった束をどんどん 2 つに分割してきます。
その結果、最終的にはすべての束が「1 枚だけ答案がある」という状態に
なります。このとき、それぞれの束が左から小さい順に並んでいるわけで
すから、並び替えが終了したということになります。この方法のオーダー
も $O(n \log n)$ になります。

◆ **その他のソートアルゴリズム**

ここで紹介した方法以外にも「マージソート」や「バブルソート」など、

さまざまなソートアルゴリズムが考案されています。基本的に計算が早い
方法でもオーダーは O(n log n) ですが、その中でも比較的早い方法（例
えば、あるアルゴリズムは比較回数が 10n log n 回で、別のアルゴリズ
ムだと 3n log n 回で終わる）があったり、もともとのデータの並び順（本
当にバラバラなのか、それとも最初からほぼ順番どおり並んでいるのか）
によっては極端に遅くなる方法があったりと、それぞれいろいろな特徴を
持っています。

　例えば、先ほど紹介したクイックソートは、オーダーは挿入ソートなど
と同じ O(n log n) ですが、実際にプログラムを書いていろいろなデータ
を並べ替えさせてみると、多くの場合において他のソートアルゴリズムよ
りも早く並べ替えができることが知られています。一方で、もともとのデー
タの並び順によっては極端に遅くなり、他のアルゴリズムに負けてしまう
こともあります。このように各種ソートアルゴリズムは、それぞれに得意
や不得意がありますので興味のある人は調べてみましょう。

ソートアルゴリズムの再帰的実装 ……………………………………

　代表的なソートアルゴリズムの紹介はここまでですが、最後にちょっと
不思議な方法をお教えしましょう。名づけて「自分では何もしていないよ
うな気がするけど、いつのまにか仕事が完成している」方法です。

　先ほど紹介した挿入ソートは、順番に並んでいる束の適切な場所に答案
を挿入していくことを繰り返します。これは一人でももちろん実行できま
すが、何枚も挿入していくのが面倒です。そこで、この仕事を友人に助け
てもらうことにしましょう。ただし、全部の仕事を丸投げすると、さすが
に怒られますから、自分でもちょっとだけ仕事をし、残った（ほぼすべて
の）仕事をやってもらうことにします。具体的には、束の中から 1 枚だ
け答案を抜き出し、残りの束（1 枚だけ枚数が減っているもの）をすべて
友人に渡して並べ替えをやってもらうのです。これだと丸投げと変わらな
いように思いますが、「不思議な方法」のキモはここからです。束を渡さ

れた友人は「自分とまったく同じこと」しかしないんです。つまり、渡された束から1枚だけ答案を抜き出し、残りの束を別の友人に渡す。これだけです。

　束を渡された3人目も同じことをします。みんな同じことしかしないから、みんな楽ちんです。では、最後はどうなるのでしょうか。ここでのポイントは「全員が1枚だけ答案を抜きとっている」ことです。ですから、渡される束はだんだん枚数が減っていきます。最終的には答案が1枚だけになります。そのとき、1枚だけ渡された人はその1枚を「並べ替え終わったよ」とそのまま渡した相手に返します。返された人は、自分が持っていた1枚を（上か下か適切な方に）重ねて、自分に束を渡してきた人に「並べ替え終わったよ」と返します。返された人は、また自分が持っていた1枚を適切な位置に挿入し、自分に渡してきた人に返していきます。こうして束はどんどん戻されていき、最初の一人（自分）まで戻ったときには並べ替えは終わっています。これが「不思議な方法」です。みんなほぼ丸投げしているのに、いつのまにか仕事が終わっている。みんな楽して、みんな幸せ。

　このように「まったく同じことをする友人」を使ってアルゴリズムを実現することを再帰的なアルゴリズムの実装*と呼びます。これを使うと、自分ではほとんど仕事をせず、でも「自分と同じことしかしない」人を使

うことで仕事が終わってしまうという、少し不思議な実装になります。ちょっとだまされた気分になりますが、結局やっていることは同じことを何回も実行するだけですので、プログラムを簡潔に書くことができるようになります。

　この再帰的な実装方法は、さまざまなアルゴリズムで行われています。もう一つの例としてクイックソートの実装についても見てみましょう。まず、自分が行う「仕事」を以下のように定義します。

(1) 渡された答案が 1 枚だけなら、そのまま「並べ替えが終わったよ」と返却する。そうでなければ、答案の束を適当な出席番号より小さい束と大きい束に分割し、それぞれを「自分と同じことしかしない友人」2 人に渡す。

(2) 2 人の友人からそれぞれ「並べ替えが終わったよ」と束を返されたら、出席番号が小さい方の束の下にもう 1 つの束を重ね、「並べ替えが終わったよ」と返却する。

　こうすると、答案の束はどんどん分割されながら、別々の友人に渡されていきます。最終的に 1 枚だけ渡される友人が出てくると、そこから「返却」「返却」…と戻ってきて、並べ替えが終わっているというわけです。どちらのソートも答案の枚数だけ友人が必要になるという人海戦術なアルゴリズムですが、一人ひとりがやることは非常に単純になります。

＊実際にプログラムを書いてアルゴリズムを実現することを「実装する」と言います。同じアルゴリズムでも、どのようなプログラムを書いて実現するか、一般にはいろいろな実装方法が考えられます。

2-3

最短経路問題

　ある駅からある駅まで移動する場合、かつては電車の路線図や時刻表とにらめっこしながら、どの経路が一番いいか考える必要があったのですが、今なら「乗換案内アプリ」で検索すれば一発でしょう。では、その検索してくれるアプリは、どうやって最適な経路を探しているのでしょうか。アプリもプログラムですから、何らかのアルゴリズムを使って検索しているはずです。ここではその方法の一つを紹介しましょう。

データの準備 ……………………………………………………

　どんなアルゴリズムで検索するにしても、「A駅からB駅まで○分かかる」や「C駅で1番線ホームから2番線ホームに乗り換えるのに○分かかる」というようなデータがないとそもそも検索ができません。最適な経路を探す前に、まずこうしたデータを揃える必要があります。

　こうしたデータは一般的に**グラフ**という形式で保存しておきます。グラフといっても、y=2x+3のような方程式を座標平面上に直線や曲線で表した「グラフ」ではありません。ここで言うグラフは、次ページの図2.1のような図のことです。一つの丸はどこかの駅を表します。そこから直接行くことのできる駅（隣りの駅）を表す丸との間を線で結びます。このとき、その駅間を移動するのに必要な時間（数字）を線の上に書いておきます。このような図を作っておくと、「D駅からG駅まで何分かかるか」という問題はD駅の丸からG駅の丸まで、つながっている線をたどればよいということになります。そのときに通った線に書かれている数字を全部足せば、所要時間もわかります（現実には乗り換え時の待ち時間などもかかりますが、ここでは一旦置いておきます）。最適な経路を探す場合、あとはこの所要時間が一番小さくなる経路を見つければよいということになります。

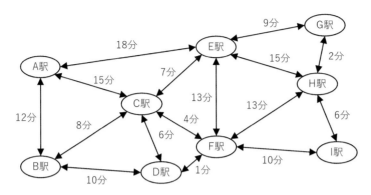

図2.1：電車の所用時間を表すグラフの例

　では、ここで問題です。このグラフ（図2.1）では「C駅で1番線ホームから2番線ホームに乗り換えるのに○分かかる」といったことが表現できていません。こうしたことを表現するためには、どうすればよいでしょうか？　答えは「丸を駅ではなくホームを表すものにする」です。一つの丸がホームを表すのであれば、一つの駅が複数の丸で書かれることになります。駅の場合と同じように、1番線ホームの丸から2番線のホームの丸の間に線を引き、そこに移動に必要な時間を書いておきます。各ホームから乗車できる路線も違うわけですから、隣り駅の丸からつながる線も、該当する路線が到着するホームに対応する丸にだけつなげればよいでしょう。実際に図にするとかなり複雑になりますが、原理的にはこれで乗り換え時間も考慮した検索をすることができるようになります。

ダイクストラ法 ……………………………………………………………

　ここでは、実際に乗り換え案内やカーナビなどで使われている**ダイクストラ法**について説明します。先ほどの図2.1を例に、D駅からG駅までの最短所用時間を計算してみましょう。

　まず始点であるD駅に対応している丸に印をつけます。次に、ここから直接つながっているすべての丸について、そこまで行く時間を丸の脇に書いていきます（図2.2）。このとき、「終点に近づく方向にある駅だけ考えればいい」といった配慮は不要です。線がつながっていれば、たとえ反

対方向にある駅でもすべて時間を書き入れていきます。もしかしたら、その先に非常に短い時間で戻る経路があるかもしれません。現実の世界でも、最初は反対方向にひと駅行って、そこから特急で一気に目的の駅まで行くなんてことがありますよね。そうした可能性も考えて、すべての方向について計算を進めていきます。

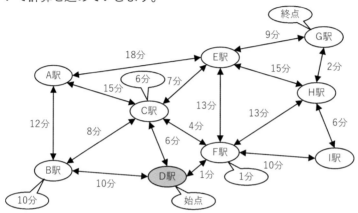

図2.2：始点から直接行ける駅までの所用時間を計算

　さて、重要なのはこの次です。先ほど時間を書き入れた丸について、さらにその先の駅に行くとどうなるか計算をしていくわけですが、時間を書き入れた丸は（始点の丸から複数の線が出ていれば）一つではありません。図2.2でもB駅、C駅、F駅と3つありますね。では、どの丸から計算をしていけばよいでしょうか？　どれでもよさそうと思う人もいるかもしれませんがそうではありません。ここでの目的は「始点から終点までの最短の所要時間の経路を見つけること」です。でも、現時点で丸の脇に書かれている所要時間は最短かどうかわかりません。なぜなら、もしかしたら一度別の駅を経由した方が、直接行くよりも早いということがあるかもしれないからです。実際に図2.2だと、C駅には6分で行けることになっていますが、D駅→F駅→C駅と行けば、移動時間の計算上は1分＋4分＝5分で到達できます。でも、図2.2で書かれている所要時間の中で、一つだけ「最短の所要時間である」ことが確実なものがあります。どれだかわかりますか？

　ここで注意するポイントは、線に書かれている数字は丸を経由するたびにどんどん加算されていく、ということです。すべての数字は、次に行くほど時間が加算されて大きくなっていくわけですから、現時点で一番小さい数字の駅に、別の経路を使ってそれより小さい数字でたどり着く可能性はありません。よって、現時点での一番小さい数字が書かれている駅（この場合はF駅）は「確定」です。そのため、次はこの駅から先の駅への所要時間を考えていきます。

　丸の脇に書かれている数字が一番小さな丸を選択したあとは、その丸に印をつけた上で、その丸から直接つながっている（そしてまだ印のついていない）すべての丸の脇に「トータルでかかる時間」を書いていきます。このとき、D駅からC駅は直接つながっているため、C駅には「6分」と書かれていますが、F駅からもC駅に行くことができ、その所用時間は1分＋4分＝5分です。この場合は数字を比較した上で、すでに書かれている数字より小さければ、書かれている数字を消し、新しい数字に書き替えます。一方、すでに書かれている数字の方が小さければ、（直接行く方が早いということなので）「何もしない」ということになります（図2.3）。

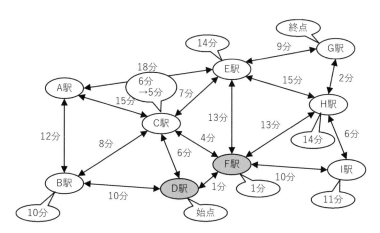

図2.3：F駅から直接行ける駅までの所用時間を計算

　あとはこの作業の繰り返しです。数字が書かれている丸（印がついているものは除く）のうち、書かれた数字が一番小さい丸を選択し、そこから直接つながる（印のついていない）丸についてトータルでかかる時間を計算して記入する（図2.4）。これを行っていけば、そのうち終点の丸に数字が書かれることになります。ただし、そこで計算を終わりにしてはいけません。なぜなら、他の丸を経由した方がトータルの時間が小さくなる可能性があるからです。そのため、グラフ上の全部の丸に印がつくまで計算を続ける必要がありますが、実際は終点の丸から直接つながっている丸（この例ではE駅とH駅）にすべて印がつけば、これ以上終点の丸の値が更新される可能性はなくなりますから、そこで計算は終了ということになります。それでは最後まで計算をしてみてください。

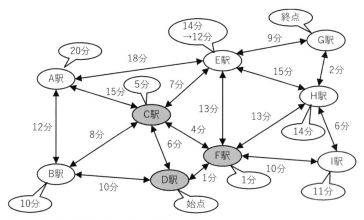

図2.4：C駅から直接行ける駅までの所用時間を計算

　結果はどうなったでしょうか？　「最短でG駅に16分」という答えにたどり着いていれば正解です。今回は非常に簡単な路線図を例に計算をしてみましたが、実際のようにもっと駅の数があって路線が入り組んでいたら大変です。しかも、単なる所要時間だけではなく、列車の時刻表や乗り換えの移動時間も考慮しているわけですから。乗り換え案内アプリって、一瞬で結果を出してきますが、内部ではかなり面倒な計算をしていることがわかります。

Chapter 3

アルゴリズムとデータ構造

この章で学ぶ主なテーマ

配列
リスト
木構造
スタックとキュー

「身近なモノやサービス」から見てみよう！

　みなさんは物の整理・整頓は得意ですか？　常に整理・整頓を怠らず、勉強机のまわりはいつもすっきりという人もいれば、なんだか知らないけど、いつも物であふれ、机の上は勉強する場所がないという人もいるかもしれません。

　整理・整頓ができていないと、部屋がごちゃごちゃして見た目が汚ないということもありますが、必要な物がどこにあるのかわからなくなってしまうという問題が起こります。「たしかこのへんに置いた気がするけど…」と言いながらあっちこっち探しまわる、なんて光景もよくある話。あのとき、しっかり片づけておけば簡単に見つかったのに、後悔先に立たずというやつですね。

　そんなことが起きないように整理・整頓をするわけですが、そこで重要になるのが、何をどこにしまうのか決めておくことです。一度しまう場所を決めてしまえば、あとはそれに従って分類していくだけ。うまく場所を決めてあげないと、「あれ？入りきらない」とか「これっ

てどっちに入れたっけ？」となってしまうわけですが、うまく整理できれば部屋もすっきり、簡単に物を探すことができるようになります。

　実は、プログラムでも同じことです。プログラムではいろいろなデータを使ったり、計算をしたりするわけですが、そうしたデータをうまく保存しておかないと、「さっき計算した結果ってどこに保存したっけ？」となってしまいます。保存場所（変数）の名前を工夫したりもしますが、それだけではうまくいかない場合もあります。

　そこで、さまざまなデータ構造が考え出されてきました。データ構造とは、整理する物の使い方にあわせて、保存する棚の形や置き方を工夫しておくようなイメージです。みなさんの部屋も、工夫次第できれいに整理できるかもしれません。どうやれば整理できるか、考えてみてはどうでしょうか。

　え？　そんなことを考えなくても、常に部屋はきれいに整頓されているって？　それは失礼しました。ちなみに、1990年代に『「超」整理法』という本が流行しました。それによると、物を分類して整理するのではなく、すべてを一つの場所に使った順番に並べておくことがポイントだそうです。例えば、参考書を教科や学年に関係なく一つの本棚に並べておき、勉強で使ったら元の場所に戻すのではなく本棚の右端に立てておく。こうすると、使われた参考書は常に右端に移動するため、しばらくすると全然使っていない参考書だけ左端に集まってきます。そうしたら、「こんな参考書はもういらない」と捨ててしまえばよい、ということです。

　すべての物についてこの方法が有効かどうかはわかりませんが、考え方の一つとしては面白いですね。

3-1

配列

　前章では、電車の最短経路の計算に、駅の間のつながりを丸と線で示した「絵」を用いていました。しかし、実際のプログラムでは「絵」を入力するわけにはいきません。では、どのようにしているのでしょうか?

　プログラムでは、数字や文字などのデータを**変数**というもので記憶しています。数学で出てくる変数(x や y)と同じようなイメージですね。ただ、数学での変数には数字しか代入できませんが、プログラム言語での変数には文字も代入することができます。こうした変数には、基本的に 1 つの変数あたり 1 つのデータしか入れておくことができませんが、複数のデータをまとめて入れておくことができるものに**配列**があります。

　配列は、イメージとしては一列に並んだ箱のようなもので、その中にデータを順番に入れておくことができます。(図 3.1)。例えば、40 人分のテストの点数をまとめて配列に保存しておく場合は、箱を 40 個一列に並べておき、それらの箱に順番に点数を入れていきます。それぞれの箱には番号がついているので、例えば出席番号と同じ番号が書いてある箱に入れておけば、誰の点数なのかがわかります。

図 3.1 : 配列のイメージ

　なお、配列の箱は順番に使わないといけないわけではありません。いきなり 3 番の箱にデータを入れるとか、10 番まで順番にデータを入れたあと、5 番の箱のデータだけ書き替えるとか、そんなことも可能です。ただ

し、「1 つの箱には 1 つのデータを入れる」というルールだけは守る必要があります。

何に使えるのか？ ………………………………………………

　配列はまとまったデータを入れておくのに便利ですが、「わざわざ配列なんてものを使わなくてもそれぞれ別の変数に入れておけばいいのでは？」と考える人がいるかもしれません。数多くのデータを覚えておくという意味ではそれでもよいのですが、この場合、数多くの変数を準備しなければいけないですし、その変数に何が入っているのか把握するのがかなり難しくなります。

　例えば、出席番号 1 番の人の数学の点数を変数 a に入れたとします。続いて 2 番の点数は変数 b に、3 番の点数は変数 c に…そうやってどんどん入れていったとしましょう。では、出席番号 20 番の人の点数はどこに入っているでしょうか？　a、b、c、d…と数えていってもすぐには出てこないですよね。これが配列を使えば、「20 番目の箱」と何も考えずに出すことができます。

　他にも「1 つの巨大な配列を用意してそこに全部入れてしまう」と考える人がいるかもしれません。この場合、例えば 40 人分のテストの結果があったとして、1 番から 40 番までは数学の点数、41 番から 80 番までは英語の点数、81 番にはクラス全体の数学の平均点を入れて…というふうにやっていくと、どこに何があるのかわからなくなってしまいます。配列にはいろいろな使い方がありますが、ある程度ひとまとまりになったデータ（例：クラス全員の数学の点数）を入れておくのに適しています。もしテストに英語と数学の 2 教科があれば、それぞれ別の配列に入れておくのがよさそうです。

挿入ソートに挑戦 ……………………………………………

　ではここで、配列を使ってプログラムを作ってみることにしましょう。「クラスのみんなの得点を入力していくと、それを自動的に点数の高い順に並べてくれるプログラム」です。並べ替えの方法は 2-2 で学んだ挿入ソートを使います。挿入ソートでは、現時点で並べ替えの終わっている束を手に持ち、その中の適切な位置に新しいデータを挿入していくということを繰り返すアルゴリズムでしたが、ここでは手に持っている（並べ替えの終わっている）束を配列で表すことにします。

　まず 1 人目の点数（58 点だったとします）が入力されます。これはそのまま配列の 1 番目の箱に入れておくだけです。次に 2 人目の点数が入力されると、どうなるでしょう？　どこに挿入するか、配列の先頭の箱から順番に中身を見ていって入れる箱を決めていきます。現時点では、配列の 1 番目の箱にしか点数は入っていませんから、その点数（58 点）とどちらが大きいか比較します。例えば、入力された点数が 32 点だったとすると、今は大きい順（これを降順と呼びます）に並べ替えますから、2 番目の箱に 32 点が入れられることになります。

　では次に 3 番目の点数です。ここでは 40 点が入力されたとします。この場合、まず配列の 1 番目の箱と比較して 40 点の方が小さいので、次に 2 番目の箱と比較します。すると、32 点より大きいので 58 点と 32

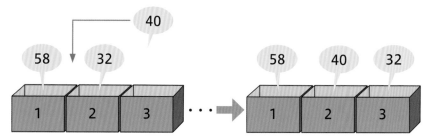

図 3.2：40 点を 2 番目の箱に挿入

点の間に 40 点を入れればよい、ということがわかります。配列の先頭から順番に比較していって、挿入すべき場所を探していけばわけです。でも、どうやって 1 番目と 2 番目の箱の間に挿入すればよいのでしょうか。1 番目と 2 番目の箱の間に「1.5 番目の箱」はありません。配列は最初から一列に箱が並んでいて、それぞれに番号もついています。勝手に箱の追加はできないのです。そこで、2 番目の箱に入っていた 32 点を 3 番目の箱に移動させます。そうやって 2 番目の箱を空けてから 40 点をそこに入れます（図 3.2）。

民族大移動 ···

続きをもう少しやってみましょう。次に 65 点が入力されました。まず配列の先頭と比較して、1 番目の箱の 58 点より 65 点の方が大きい、ということになります。つまり、58 点を 2 番目の箱に移動させて、65 点を 1 番目の箱に入れればいいわけですが、2 番目の箱にはすでに 40 点が入っています。「1 つの箱には 1 つのデータ」が鉄則なので、40 点は 3 番目の箱に移動させ、同じように 3 番目の箱に入っている 32 点は 4 番目の箱に移動させます。結局、1 番目の箱に 65 点を入れるためには、2 番目以降の箱の点数を「民族大移動」のようにすべて移動する必要があるということです。当然、扱うデータが多くなってくると、1 つのデータを挿入するのに大量のデータを移動させる必要が出てきますので、それだけ動作が遅くなる（並べ替えに時間がかかる）ようになってきます。2-2 で挿入ソートの時間計算量は O(n log n) と説明しましたが、これは並べ替えの「比較」にかかる時間だけしか考慮していません。実際にプログラムを書いて実行するときには、こうした「データの移動」にかかる時間も関係してくることに注意しなければいけません。

なお、これは挿入ソート自体が面倒なのでなく、挿入ソートに配列を利用するから「民族大移動」のような手間が必要になってくるのです。つまり、配列以外の何かを使えば、もっと手軽に挿入ソートを利用することができます。次に、その「配列以外の何か」を説明しましょう。

3-2

リスト

　日直のＡさんにまた担任の先生から頼み事です。内容は「校内の美術コンクールに出品された作品を、審査員がつけた評価点の高い順に棚の上に並べる」というものでした。数は全部で 32 作品。見たところ、かなり「重そうな」ものもあります。点数の高い順に並べるのですから、これもソーティングの一種です。Ａさんは作品を並べる棚を配列に見立て、これを使った挿入ソートを始めました。まず１つ目の作品を左端に置いて２つ目の作品と評点を比較します。こちらの方が評点が高かったので１つ目の作品を右にずらし、左端に２つ目の作品を置きます。このように作業を始めたのですが、すぐに嫌になってしまいました。そうです。途中で評価点が高い作品が出てきた場合、それより点数が低い作品をすべて１つずつ隣にずらしていく作業が発生するからです。小さいものならまだしも、重くて大きな作品を動かすのは大変です。それになんだかすごく無駄な作業をやっている気がしてきました。「今からやり方を変えて『選択ソート』に変更しようかな」と思ったＡさんですが、ちょっと待ってください。同じ挿入ソートでも、もう少し楽にできる方法があります。それは、配列の代わりに**連結リスト**と呼ばれるものを使う方法です。

「つながり」は大切に ･･････････････････････････････････････

　「リスト」という言葉には一覧表というような意味がありますが、ここでの連結リストはデータが順番につながっているものといったイメージです。配列も「順番につながって」いますが、あちらは箱が一列に並んでいるイメージです。それに対して連結リストは、箱がバラバラに置いてあります。でも、それらの箱をひもでつないでおくことで順番を表そう、というものです。ある箱にひもの端を貼りつけ、反対側の端を別の箱に貼りつけます。またその箱に別のひもを貼りつけ、それをさらに別の箱にも貼りつけます。そうやっていくと、バラバラに置かれた箱がひもで１本につながっていきます。これが連結リストです（図 3.3）。つまり、配列は「場

所」で順番を表すわけですが、連結リストは「ひも」で順番を表すわけです。

この連結リストの最大の利点は順番をすぐに変更できることです。例えば、配列で3番目の箱と4番目の箱の間に新しいデータを入

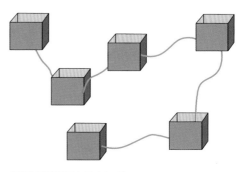

図3.3：連結リストのイメージ

れる場合、4番目の箱以降にあるすべてのデータを1つずつ後ろにずらして4番目の箱を空け、そこにデータを入れる必要がありました。4番目の箱以降にあるデータの数が増えると、その作業は恐ろしく大変になります。このデータを途中に挿入する作業が連結リストだと非常に簡単にできるのです。やり方はまず挿入したいデータを「新しい箱」に入れます。そのあと、3番目の箱から4番目の箱につながっているひもを4番目の箱から剥がし、新しい箱に貼りつけます。さらに、新しい箱に別のひもを貼りつけ、その反対側を4番目だった箱に貼りつけます。こうすると、3番目の箱→新しい箱→4番目だった箱とつながるわけです（図3.4）。

これで3番目の箱と4番目の箱の間に新しいデータを入れることができました。4番目以降の箱については何もする必要がありません。同じように、データを削除することも連結リストでは簡単です。配列ならばデータを1つ削除したあと、空いた場所を埋めるために後ろ側のデータをすべて1つずつずらさなければいけませんが、連結リストなら削除したい箱を撤去してひもをつなぎ

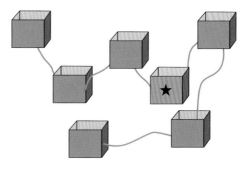

図3.4：3番目と4番目の間に新しい箱（★）を挿入

直すだけです。このように連結リストの最大の利点は、データの挿入や削除が非常に簡単にできることです。そのため、挿入ソートとの相性は抜群なのです。

連結リストにチャレンジ

　それでは、連結リストを利用した挿入ソートで美術作品を並べ替えてみましょう。このとき、実際に美術作品にひもを結んでつないでいかなくてもかまいません。必ずしも物理的なひもで結ぶ必要はなく、「つながり」さえわかればもっと簡単な方法でもよいのです。例えば、それぞれの作品には作品番号がついているので、ある作品の次の作品はこれ、というのを表すのに作品番号を付箋に書いて貼っておくことにしましょう。まず作品番号1番にはこの作品が最初だということがわかるように付箋に「最初」と書いて貼ります。次に作品番号2番の評価点と「最初」の作品の評価点を比較します。もし2番の方が高いときは場所の入れ替えが必要ですね。その場合、「最初」の付箋は2番の作品に移動させて、さらに次の作品はこれだよ、と連結させるために「次は1番」と書いた付箋も貼っておくきます。こうすると、2番の作品には「最初」と「次は1番」の2枚の付箋が貼られることになります。一方、1番の作品には何も貼られていません。付箋が何も貼っていないと、「次の作品がない」のか「付箋がはがれてしまった」のか区別がつきません。そのため、次に続く作品がない、ということを明示するために「最後」と書いた付箋を貼っておくことにします。

　次は、作品番号3番です。まず「最初」の作品と評価点を比較すると、作品番号3番の方が低いので次の作品と比較します。次の作品は「次は1番」と付箋があるから作品番号1番です。その評価点と比較してもまだ低い。しかし、次の作品はなく、「最後」の付箋が貼ってあります。ということは、1番の次に3番の作品を入れればよいということになります。そこで、1番の作品に貼ってある「最後」の付箋を3番に貼って、代わりに1番には「次は3番」の付箋を貼っておきます（図3.5）。

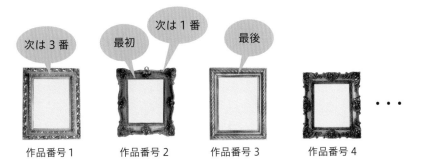

図 3.5：付箋を使って美術作品を挿入ソート

　このように A さんは次々と付箋を貼りかえながら挿入ソートを続けました。実際に「ひも」を使わないため、少しわかりにくいかもしれませんが、ここでやっていることは、作品 α と作品 β の間に作品 γ を挿入したい場合は次のようにしているだけです。ちょっとややこしいかもしれませんが、難しくはありませんので、みなさんも実際にやってみてください。

（1）作品 α に貼ってある「次は作品 β」の付箋をはがし、作品 γ に貼る
（2）作品 α に「次は作品 γ」と書いた付箋を貼る

やっぱり面倒だった… ………………………………………………

　順調に挿入ソートを実行していた A さんですが、だんだん表情が暗くなってきました。なぜなら、挿入位置を決めるためには最初から評価点を比較してうろうろ歩かなければならないからです。配列であれば「隣り」を見ていくだけだったのに、連結リストになったら次の作品がどこにあるのか付箋を見ないとわからないし、しかも「遠く」にあったりすることもあります。このように、連結リストの欠点の一つは「どういう順番で並んでいるのか、最初からたどってみないとわからない」ことです。配列だったら箱が一列に並んでいるわけですから、例えば「真ん中あたり」というふうにおおよその場所がわかります。一方、連結リストは、どこにどんな順番で置いてあるのかがわかりませんから、最初から順番にたどっていくしかないのです。

　さらに、挿入するときの作業も注意して実行しないと、大変な作業になってしまうこともあります。例えば、作品番号 k の次が作品番号 m になっていて挿入したい作品 x の評価点は作品 k より低いけど、作品 m より高かったとしましょう。つまり、作品 k と作品 m の間に作品 x を挿入することになります。このときの作業はどのようになるでしょうか。まず作品 k の評価点を見て、作品 x の評価点の方が低いことがわかります。そのため、作品 k に貼ってある付箋を見て作品 m のところに行きます。次に作品 m の評価点を見ると、作品 x より低くなっていることから作品 x は作品 k と作品 m の間に挿入すべき、ということがわかります。そこで作品 k に戻って、そこに貼ってあった「次は作品 m」という付箋を作品 x に移動させ、作品 k には「次は作品 x」という付箋を貼ればいいわけですが、それをするためには作品 m の前は作品 k だったことを覚えておかなければなりません。つまり、作品 m のところにきて、初めて作品 k の付箋を作品 x に貼り替えればよいということがわかりますが、「作品 m にどこから来たか」ということを覚えていないと、どこに戻ればよいかわからないのです。作品 m には「次は作品 y」といった付箋は貼られていますが、「1 つ前は作品 k」とは書いていません（図 3.6）。直前の作品番号 k を忘れてしまうと、もう戻れないので、結局「最初」の付箋がある作品まで戻り、そこから作品 k まで順番にたどっていく必要があります。作品の数が多くなってくると、この作業は非常に大変です。

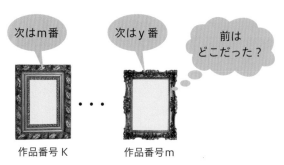

図 3.6：どこから来たのか、忘れてしまう

　今 A さんがやっている方法は**片方向リスト**と呼ばれます。「次はどれか」

という情報はあるけども「どこから来たか」という情報がない状態です。つまり、最初から順番にたどっていくことはできますが、逆方向に戻ることができません。Aさんが困っていたのは、この性質があるからです。

一方、**双方向リスト**であれば、逆向きに戻ることも可能です。これは「次はこれ」という付箋の他に「1つ前はこれ」という付箋も貼っておくというやり方です（図3.7）。これがあれば、「1つ前はこれ」という付箋をたどっていくことで、逆向きに「最初」まで戻ることができます。ただ、この方法では、データの挿入や削除をするときに、2種類の付箋について正しくつけ替えを行う必要があります。片方向リストに比べて、手間が増えてしまうことになります。

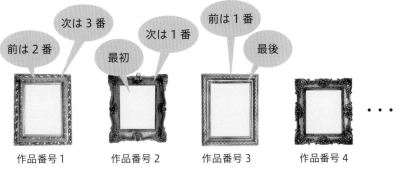

図 3.7：双方向リストの例

Aさんはいろいろと苦労しながらも、連結リストを使った挿入ソートでようやく最後まで並べ替えができました。配列を使うと挿入するたびに作品をずらさなきゃいけないのが大変、一方、連結リストを使うと作品を動かさなくてよくなりますが、次の作品を探してうろうろ歩き回らなければならないのが大変でした。実はもっと簡単に終わる方法があります。両方のやり方のいいとこ取りをしてしまえばよいのです。その方法は、各作品の番号と評価点を1枚ずつ紙にメモして、その紙を挿入ソートするだけ。配列を利用するにしても、作品自体を動かすのではなく、評価点を書いた紙を動かせばよかったのです。実際の問題を解決するときは、どうやれば簡単にできるのか、いろいろ考えてみてください。

3-3

木構造

　次に紹介するデータ構造は**木構造**です。木構造では各データのことを
ノード（node）と呼びます。各ノードはバラバラにあるのではなくつな
がりを持っています。先ほどのリストではデータが一本のひもでつながっ
ているイメージでしたが、木構造ではまさに木のようにつながっています。

　木構造では、あるノードの下にいくつかのノードをつなげます。図 3.8
を見てみてください。この例だと、ノード a の下にノード b、c、d がつ
ながっていますね。このとき、ノード a のことを「親ノード」、ノード b、
c、d のことを「子ノード」と呼びます。このように木構造では親と子といっ
た上下関係があることが特徴です。

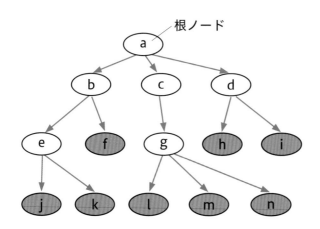

図 3.8：木構造の例（オレンジ色のノードは葉ノード）

　さらに子ノード b の下に別の子ノード e、f が接続されています。c や
d といった他の子ノードにもさらに別の子ノードが接続されています。こ
うしたノードは、ノード a から見ると「孫ノード」になります。一方、ノー
ド e やノード f から見ると、ノード b は「親ノード」となります。この

ようにしてどんどんノードが接続されていきます。この図を上下ひっくり返してみると、木のように見えることから、一番上にあるノード（すべてのノードのご先祖様）のことを**根ノード**（root node）、下の方にある子ノードを1つも持たないノードのことを**葉ノード**（leaf node）と呼びます。

　なお、木構造の中でも特に1つの親ノードに接続する子ノードの数が最大2個であるような木構造のことを**二分木**と呼びます。他にも、子ノードが最大n個であるものはn分木と呼ばれていたりしますが、よく使われるのは二分木です。

　木構造はいろいろなところで使われていますが、みなさんに馴染みがあるのはパソコンのフォルダ構造でしょうか。パソコン上でファイルを保存するときにフォルダを使うことがありますが、フォルダの中にファイルを保存するだけでなく、フォルダの中に別のフォルダを入れて、さらにその中にファイルやフォルダを入れることができます。こうした構造を図に描いてみると、木構造のようになっていることがわかります。この木構造について、ここではいくつかの応用例を紹介します。

探索への応用 ………………………………………………………

　応用例の一つは2-1で取り上げた探索問題です。辞書の中から目的の英単語を探すとき、辞書の真ん中のページを見て、目的の単語がそこより前にあるか後ろにあるかを判断して、その探す範囲をどんどん狭めていくという方法（二分探索）を紹介しました。では、この二分探索を「配列」を使って行うとしたら、どんなアルゴリズムになるでしょうか？　配列には辞書にある英単語がすべて入っています。これに対して二分探索を行うには、配列の真ん中あたりの箱にある英単語と比較して、前半にあるか後半にあるかを判断して…といったことを繰り返していけばよいのですが、一つ大きな前提条件があります。それは、配列の中にあるすべての単語がアルファベット順に並んでいることです。つまり、事前に全部の英単語を

ソーティングし、順番に配列の箱に入れておくことが必要になります。二分探索を始める前に大量の単語をすべて並べ替える必要があるのでかなりの手間がかかります。

　そこで登場するのが二分木です。ここでは各ノードにそれぞれ単語が入っている二分木を例に説明します（図3.9）。この二分木ですが、実は単語が探しやすいような構造になっています。この二分木においては、どの親ノードを見ても、左側の子ノード以下にあるすべての単語は親ノードの単語よりもアルファベット順が早い（aに近い）単語であり、右側の子ノード以下にあるすべての単語は、親ノードの単語よりアルファベット順が遅い（zに近い）単語であるという構造をしているんです。

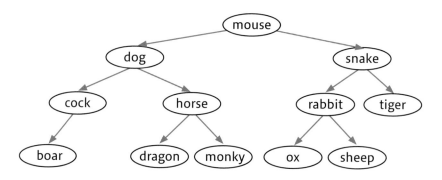

図3.9：二分探索木の例

　この構造を持った二分木（図3.9）を例に、実際に二分探索をやってみましょう。まず、探す単語「dragon」と根ノードにある単語「mouse」を比較します。この場合、dragonの方がアルファベット順で早いですね。mouseよりアルファベット順で早い単語は全部左側の子ノード以下にあるはずですから、右側の子ノード（snake以下）は全部無視してよいということになります。これは、配列を使って二分探索したときに、前半と後半の2つに分けて含まれない方は探索範囲から消してよいというのに似ています。やっていることは同じですが、二分木を使う場合は最初からデータが半分に分かれていて、そのどちらかを選択するだけという作業に

なっているのです。

　さて、目的の単語が左側の子ノード以下にあることがわかったので探索
の続きを行いましょう。次は左側の子ノードに入っている単語「dog」と
比べます。その結果、dog よりも dragon の方がアルファベット順で後
ろなわけですから、次は右側の子ノード（horse）と比較すればよいとい
うことになります。あとは dragon が見つかるまでその作業を繰り返せ
ばいいだけです。ちなみに、こうした二分探索がしやすい構造を持つ二分
木のことを**二分探索木**と呼びます。

作るのは簡単 ……………………………………………………………………

　この二分探索木、親子のノード間に特殊な関係があったりして作るのが
大変そうですが、どうやって作るのでしょうか。実はわりと簡単に作るこ
とができます。まず登録する単語を 1 つ持ってきて、それを根ノードに
入れます。その次に持ってきた単語と、根ノードに入れた単語を比較しま
す。アルファベット順の早いか遅いかで根ノードの左側の子ノードに入れ
るか、右側の子ノードに入れるかが決まります。さらに 3 つ目の単語を持っ
てきます。これも最初は根ノードの単語と比較します。その結果、2 つ目
の単語と逆側の子ノードに登録すればよい、となればそのように登録する
だけです。同じ側の子ノードに登録する場合は、先に登録した子ノードの
単語と比較します。その結果によって適切な方の孫ノードに登録すればよ
いとなります。そうやって木を成長させながら単語を次々に登録していき
ます。

　これは再帰呼び出しを使って簡単にアルゴリズムを書くことができま
す。ここで実際に記述をしてみましょう。最初の単語は根ノードに登録済
み、というところからスタートします。

（1）登録したい単語と、親ノードに入っている単語を比較し、登録する
　　子ノード（左側か右側か）を決める

（2）登録する子ノードに単語が登録されていなければ、そこに登録して
　　終わる。そうではなく、単語が登録されていれば、その子ノードを
　　親ノードとして、このアルゴリズムを再帰的に呼び出す

　こうすることで、登録したい単語を適切な位置に登録することができま
す。あとはこれを登録したい単語数だけ繰り返せばよいのです。ここまで
説明すると、「そうやって二分探索木を作ってしまえば、ソーティングす
る必要がないわけだから、配列を使った二分探索よりも簡単にできる」と
考える人がいるかもしれません。実は二分探索木を作るのにもそれなりに
計算量がかかるので、ソーティングより簡単ということはないんです。オー
ダーでいうと、良くても O(n log n) 程度です。ソーティングアルゴリズ
ムと比較すると、むしろ遅いかもしれません。ただ、こうした方法もある
ということを知識としては持っておいた方がいいでしょう。

　実はこの二分探索木を使ってソーティングができます。つまり、二分探
索木から簡単にソーティングした結果（並べ替えられたデータ）を得られ
る、ということです。まず、二分探索木の構造は親ノードの単語よりアル
ファベット順で早い単語は、すべて左側の子ノード以下にある、というこ
とでした。逆に、遅い単語はすべて右側の子ノード以下にあるということ
です。ということは、何らかの方法で子ノード以下にあるすべての単語を
アルファベット順に並べ替えた結果が得られるとすると、左側の子ノード
以下の単語を並べ替えた結果、親ノードの単語、右側の子ノード以下の単
語を並べ替えた結果、と並べると、親ノード以下にあるすべての単語の並
べ替えた結果になるということがわかります（図 3.10）。

　ここで出てくるキーワードが「再帰呼び出し」です。ある親ノードにつ
いて次のようなアルゴリズムを定義すれば、これを根ノードに対して実行
するとソーティングされた結果が得られる、ということになります。ただ、
効率は決してよくはないので、使う価値があるかどうかはわかりませんが
…。

（1）左側の子ノードがあれば、それを親ノードとしてこのアルゴリズム
　　を再帰的に呼び出す

（2）右側の子ノードがあれば、それを親ノードとしてこのアルゴリズム
　　を再帰的に呼び出す

（3）左側の結果、自分自信の単語、右側の結果の 3 つをつなげて最終的
　　な結果とする

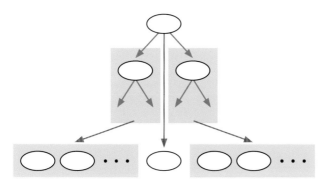

図 3.10：二分探索木から並べ替え済の単語列を抽出

二分探索木の形

　二分探索木を作るとき、登録する単語によって左側か右側か登録する場
所が変化します。もし、たまたま左側ばかりに登録されていくことになる
と、片方ばかり枝が伸びてしまい、探索するときにその分時間がかかるこ
とになります。二分探索木では、最悪でも葉ノードまで探索を行えば単語
を見つけることができますから根ノードから一番遠い葉ノードまでが短い
二分探索木ほど、早く目的の単語を見つけることができることになります。
では、どんなときに根ノードから葉ノードまでが短くなるのでしょうか。
それは、どの親ノードにも子ノードが 2 つあるような場合です。もちろん、
登録される単語数によっては、最後の 1 段は子ノードが 1 つしかないと
いった状態になることもありますが、なるべくどの葉ノードであっても、
根ノードからの深さが短くなっている二分木のことを**平衡二分木**と言いま
す。この平衡二分木であれば、例えば根ノードから 3 段（3 世代先の子孫、

つまり曾孫）までで以下の個数のノードが含まれます。

$$\sum_{i=0}^{3} 2^i = 15$$

　そして、5段で63個、10段で2,047個のノードが木の中に含まれます。つまり、それだけの単語を登録できるということです。一方で、すべてのノードが左側の子ノードしかないという状況では、左側に一直線にノードが接続されていくという形になりますので、3段で4個、5段で6個、10段でも11個しか単語を登録できません。これでは効率悪すぎます。そこで、なるべく葉ノードまでの深さが短くなるように二分探索木を構築していく方法が提案されています。こうした方法を使うと、多少二分探索木の構築に時間がかかることになりますが、探索が早くなり、実用的になります。

最大値探索用二分木 ………………………………………………………

　では次に、別の二分木の応用例として**ヒープ**（heap）、特に二分木を使った**二分ヒープ**（binary heap）を紹介します。二分ヒープは二分木の一種ですが、親ノードに入っているデータは、どちらの子ノードに入っているデータよりも必ず「順番が先」という構造になっているものです（図3.11）。ここでの「順番が先」とは「英単語だったらアルファベット順でより早い」や「数字を大きい順に並べたいときは数字がより大きい」など、データによって定義されます。

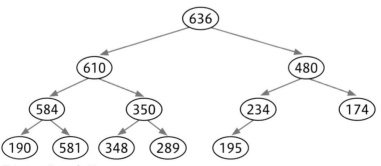

図3.11：二分ヒープの例

　ヒープでは、親ノードの方が子ノードよりも「順番が先」であることが保証されているわけですから、根ノードに入っているデータが全体で一番先ということになります。例えば「順番が先」を「数字がより大きい」と定義した場合、根ノードを見るだけで最大値がわかるということです。別にヒープを使わなくても最大値はデータ全体を1回チェックすれば見つかりますが、次に2番目、3番目と探していく場合は何回もデータ全体をチェックしなければならないため、トータルでの計算量が増えていきます。でもヒープを使うと、2番目以降も比較的簡単に見つけることができます。

　図3.11を例に説明しましょう。まず、最大値（636）は根ノードにあります。この最大値を取り出すとともに根ノードを消してしまいます。残されたのは、根ノードの2つの子ノードがそれぞれ新しい根ノードとなった二分ヒープ2個です。今度はこの2つの木をくっつけて、新しい二分ヒープにします。やり方は簡単です。根ノードがなくなったせいで2つの木に分かれてしまったのですから、新しく根ノードを作って、それにくっつけてしまえばいいわけです。ここでは葉ノードを1つとってきて新しい根ノードにします。つまり、一番下にある葉ノードを親ノードから切り離して根ノードにします。かなり強引に思いますが、新しい根ノードができれば、そこにくっつけることで1つの木に戻るので問題ありません。

　なお、とってくる葉ノードは、ここでは一番右側にある葉ノード（195）です。ヒープは親ノードと子ノードとの順番の制約以外に「なるべく根ノードから葉ノードまでの長さがすべて同じになるように左側から順番に詰めていく」というルールがあります。ですから、葉ノードまでの長さに違いがあれば、長い枝のうち一番右側にある葉ノードを、すべての長さが同じであれば右端にある葉ノードをとってくることになります（図3.12）。

　でも、こうやって新しい根ノードを作ると「親ノードの方が子ノードより数が大きい」というヒープの構造が守られなくなります。そこで、次にデータの交換を行います。

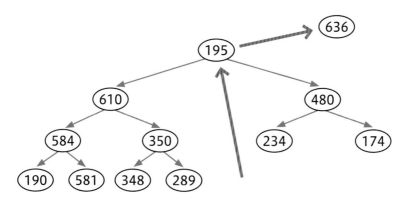

図 3.12：最大値を取り出し、新しい根ノードを接続

　まず、根ノードに入っているデータ（195）と、2 つの子ノードに入っているデータ（610、480）を比較します。もし根ノードに入れたデータが 195 ではなく、子ノードのデータより大きな数、例えば 920 であれば、ヒープの構造は保っているわけですから何の問題もなく終わりです。葉ノードを取られてしまった親ノード（234）についても、ヒープの構造が崩れたわけではありません。

　しかし、今は根ノードより子ノードにあるデータの方が大きいです。その場合はどうするかというと、子ノードにあるデータのうち大きな方と交換します。この場合は 610 ですね。これと根ノードの 195 を交換します。そうすれば、親ノードの数が一番大きくなりますからヒープの構造を保つことができます。ただし、195 は交換されて子ノードに入れられましたが、さらに下にあるノード（孫ノード）より数が大きい保証はありません。ですから、新しく 195 が入れられた子ノードを親ノードとする子ノード 2 つ（根ノードから見れば孫ノード）のデータ（584、350）と比較して、先ほどと同じように必要に応じて交換するということをやっていきます（図 3.13）。子ノードよりも数が大きいという条件を満たすまで、195 はどんどん下の方へと引きずり降ろされ、子ノードのデータがのし上がることになります。このようにデータ交換をしていくことで比較的簡単にヒープ構造を復活させることができます。

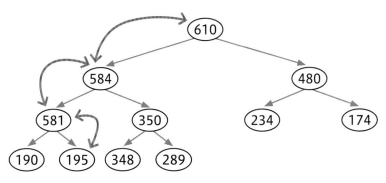

図 3.13：ヒープ構造を保つよう次々と交換

ソーティングできるのでは？

　ヒープを使うと、データの最大値、2番目、3番目…と、どんどんとってくることができます。根ノードをとって、再構築して、また根ノードをとって、再構築して…とやっていけば、2番目、3番目と次々とってくることができるのです。ということは、最後までとっていけば、データの並べ替えができるということです。データを一度ヒープで表現すると、あとは順番にとってくるだけで並べ替えが終了ということになります。

　先ほどの二分探索木みたいに、他のソーティングアルゴリズムの方が簡単、ということにはなりません。実はヒープを作る作業はそんなに面倒ではなく、他のソーティングアルゴリズムと同じくらいの計算量でできるんです。ですから、ヒープを利用した並べ替えのことは「ヒープソート」と呼ばれており、実際に使われてもいます。そのやり方を説明しましょう。

　まず最初のデータを根ノードに入れます。次に2番目のデータを持ってきて、根ノードの左側の子ノードに入れます。この段階では比較はしなくて大丈夫です。ヒープでは、新しいデータはまず葉ノードに入れ、それからヒープの構造を保つように交換していくという方針をとります。ちなみに子ノードの場所を左側と指定していたのは、ヒープではなるべく根ノードからすべての葉ノードまでの長さが同じになるように左から順番に

入れていく、というルールがあるからです。ですので、根ノードの次は左側の子ノード、その次は右側の子ノード、その次は左側の子ノードの下に、左側の孫ノード…という順番になります。

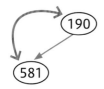

図3.14: : 2番目のデータを葉ノードに入れ、親ノードと交換

　新しいデータを葉ノードに入れたら根ノードと比較します。根ノードの方が「順番が先」であれば、構造は保たれていることになりますから、そこで終わりです。もし根ノードの方が順番が後であれば、根ノードと交換します。2番目のデータについては、ここまでです（図3.14）。次は3番目のデータです。今度は根ノードの右側の子ノードに入れ、先ほどと同じように根ノードのデータと比較します。そして必要ならば交換して終わりです（図3.15）。

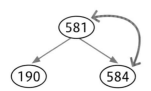

図3.15 : 3番目のデータを葉ノードに入れ、親ノードと交換

　ここで、仮に3番目のデータと根ノードのデータを交換したとすると、親ノードの値が変わるわけだから、それが左側の子ノードのデータよりも「順番が先」なのかチェックしないといけないのではないか、と思った人がいるかもしれませんが、実はそのチェックは不要です。

　ある親ノードに入っているデータを xp、左側の子ノードに入っているデータを xL としましょう。図3.15の例だと、xp=581、xL=190 です。

すでにヒープの構造は保たれているわけですから、例えば大きい順に並べているヒープだとすると、xp>xL です。確かに図 3.15 でも 581>190 になっています。ここに新しいデータ xn を右側の子ノードに追加します。まず親ノードと比較するわけですが、ここでは xp<xn だったとしましょう。その結果、xp と xn を交換し、xn が親ノードに入れられます。図 3.15 でも 581<584 ですから、親ノードと子ノードを交換することになります。このとき、今交換して親ノードになった xn と、左側の子ノード xL はどちらが大きいでしょうか？　答えは比較しなくても xn>xL であることが保証されているんです。なぜなら、もともと xp>xL だったので、xn>xp なのであれば、当然 xn>xL となります。ということで、親ノードと右側の子ノードの値を交換するだけでよく、左側の子ノードとの比較は不要ということになります。

　あとは 4 番目以降のデータも同様に葉ノードに登録して、必要なら交換…とやっていきます。4 番目以降のデータは今度は根ノードから見て孫ノードへの登録ということになるので、親ノードとの比較だけではなく、さらに上の親ノードとの関係を見ないといけません。ですから、親ノードとの交換が行われた場合、さらに上の親ノードの値と比較し、必要ならば交換するということをどんどん上に登りながらやっていくわけです（図 3.16）。こうした作業を繰り返してヒープ構造を持った木を構築していきます。あとは、先ほど説明したように根ノードを取り出し、ヒープ構造を再構築するということを繰り返せばソーティングができる、というわけです。

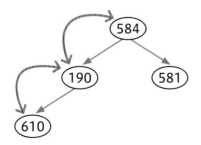

図 3.16：4 番目のデータを葉ノードに入れ、親ノードと次々交換

3-4
スタックとキュー

　最後に「データの倉庫」について説明します。これは特にデータをたくさん保存しておいて順番に使うといったときに便利な方法です。まず、データを配列に次々に保存していくことを考えてみましょう。データを保存するときは配列のどこの箱に入れるのか、何番目まではデータがすでに入っていて何番から空箱なのか、といったことを管理する必要がありますが、データが増えてくるとかなり面倒です。そこで、倉庫の番人がいて、「これを入れておいて」と言うだけでちゃんと保存してくれる。また、「データ出して」と言えば、すぐにデータを出してきてくれる。そんな倉庫があったら便利だと思わないでしょうか?

　ただ、いろいろなデータが入っている倉庫から自分のほしいデータを出そうとすると、そのデータを指定する必要があります。そのためにはどのデータにどの番号がついていたとか、次に倉庫に入れるデータには何番をつけておけばいいのかということを管理しなければなりません。結局、手間としては配列を使うのとあまり変わらないことになります。そこで「データの倉庫」はもう少し単純なデータの出し入れをすることにして、そうした手間を省こうという方法なのです。ここでは2種類の方法を紹介します。一つは倉庫に預けた順番どおりに倉庫から取り出せる方法、もう一つは倉庫に預けた順番と逆順で倉庫から取り出せる方法です。

キュー･･

　まずは倉庫に預けた順番どおりに取り出せる方法です。これは**キュー**(queue)と呼ばれます。実際の荷物を倉庫に預けるイメージで説明します。荷物を1つ倉庫の番人に「保存しておいて」と渡すと、番人は頼まれた順がわかるようにして倉庫に保存しておきます。そして、「荷物を出して」と言われると、最初に倉庫に入れた荷物から出してくるというものです。

キューによるデータの出し入れ

　キューを実現するためには、倉庫の中の荷物を一列に並べておく必要があります。山積みにしてしまうと、最初の荷物を取り出すのが大変です。列にしておけば、「荷物を出して」と言われたら先頭の荷物を持っていくだけで済みます。キュー（queue）には列という意味があり、お店でレジに並ぶことをイギリス英語では「make a queue」と言ったりします。まさに、今の荷物の状態もレジに並ぶようなイメージですね。

スタック ……………………………………………………………

　一方、もう一つの方法は**スタック**（stack）と言います。こちらは預けた荷物が逆順で出てきます。逆順とは、「荷物を出して」とお願いすると直前に預けた荷物が出てくる状態です。さらに「荷物を出して」とお願いすると、その前に預けた荷物が出てきます。つまり、最初に預けた荷物を出すためには預けた荷物を全部出さないといけない、というわけです。

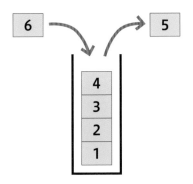

スタックによるデータの出し入れ

　よく面白そうな本を買ってきたけども読む暇がなくて、とりあえず積み重ねておくことがありますが（いわゆる「積ん読」状態）、あれと同じです。買ってきた本をそのまま積むわけですから、以前に買った本は下の方にあります。そして、今日は1冊読もうとすると上から本を取るわけですから、一番最近に買った本から読むということになります。まさにスタックと同じ動きです。パソコンのプログラムでも一時保存の用途で、このスタックがよく用いられたりします。

Chapter

4

さまざまな現象の
シミュレーション

この章で学ぶ主なテーマ

数式に従う現象のシミュレーション
確率的シミュレーション
検定

「身近なモノやサービス」から見てみよう！

　2020年の春、日本でも急速に新型コロナウイルス感染症が拡がりました。今でこそ「with コロナ」とか「after コロナ」とか言われていますが、その当時はこれからどうなっていくのかが見通せず、医療も逼迫するなど世の中が半分パニック状態になっていました。

　このままでは感染爆発がおこって大変なことになるという状況の中、政府の専門家会議から「人の接触を8割減らせば、感染者は大きく減少する」という意見が出され、それを実現するために緊急事態宣言が出されました。学校は休校し、会社では在宅勤務が推奨されるなど、社会全体が大きく影響を受けることになりました。

　さて、ここで「人の接触を8割減らす」という意見はどうやって導き出されたのでしょうか？　新型コロナウイルスは人から人に感染するわけだから、人同士の接触が減れば感染者が減るのは当たり前で

す。でも、8割という数字はどこから出てきたのでしょう。「とりあえず6割くらい？」「いや、もっと上げておいた方がいいでしょう」「では、8割くらいにしておきますか」。そんないい加減な話では決してありません。

　新型コロナウイルスはどれくらいの確率で人に伝染するのか、また人が何割減ると、どれくらいの密度になって感染者と接触する人は何人くらいになるのか、といったことを細かく設定し、いろいろとシミュレーションをした結果として「8割削減が必要」という結論が導かれています。このとき、8割減らせば2週間程度で感染状況は落ち着くが、7割だと2カ月以上かかるというシミュレーション結果が出ていたようです。

　このように、世の中のさまざまな現象についてモデルを仮定し、それに基づいて未来の状況を計算することは「数値シミュレーション」と呼ばれ、いろいろなところで活用されています。新型コロナウイルス関連で言えば、マスクをせずに話したときに飛沫がどう飛んでいくか、というシミュレーション結果を見たことがある人もたくさんいるのではないでしょうか。身近なところでは、天気予報や渋滞予測などにも用いられています。そして、こうした技術は日々進歩しています。

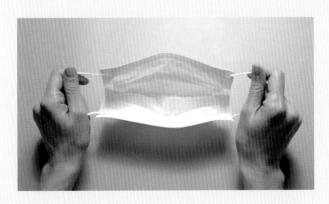

数式に従う現象のシミュレーション

　みなさんの中にはプログラミングを覚えてゲームを作りたいという人も
いるのではないでしょうか。ゲーム作りで大切なことはいろいろあります
が、キャラクラーの動きにリアリティがあるかどうかは重要なポイントで
す。例えば、崖から下に飛び降りるときに途中で加速していないと落ちて
いるように見えませんし、人だけでなく敵が撃ってくる弾の軌道が実際の
動きと違っていると違和感があります。こうした物体の自由落下や放物線
運動といった物理法則をゲームの世界でも再現する必要があるのです。

リアリティのある砲弾 ···

　物体の運動のように、ある方程式（公式などの数式）に従うことがわかっ
ている物理現象は簡単にシミュレーションすることができます。式がわ
かっているわけですから、その式に数値を入れて計算するだけです。

　例えば、敵キャラが大砲で砲弾を撃ち出したとしましょう。このとき、
砲弾はどのような動きをするのでしょうか。詳細な説明は物理の教科書に

譲るとして、xy 座標の原点に大砲があり、速度 v、角度 θ 度で撃ち出したとします。このとき、x 軸方向の速度は $v_x = v \cos \theta$、y 軸方向の速度は $v_y = v \sin \theta$ となりますから t 秒後の砲弾の位置は、その x 座標が $x(t) = v_x t$、y 座標が $y(t) = v_y t - \frac{1}{2} gt^2$（g は重力加速度）となります。あとは、例えば 0.1 秒ごとに砲弾を動かすのであれば、t に 0.1、0.2、0.3…と値を入れていけば OK です。このように、方程式がわかっていれば、そこに値を代入していくことで簡単に物理現象をシミュレーションすることができます。

方程式を利用することの利点 ……………………………………

　一方、方程式を使わなくても「それらしい」動きは作れるかもしれません。実際に動かしてみて、見た感じがおかしければ少しだけ修正して…ということを繰り返していけば、ある程度までは近づけることができそうです。ただ、方程式で計算することの一番大きな利点は、「いろいろな条件での動きをシミュレーションできる」ということです。例えば、ゲームの中に長距離砲を出現させ、弾の速さを 3 倍にする、なんてことがしたい場合、方程式であれば、砲弾の速度を 3v に変更するだけです。「月面」のステージを作るときは、重力加速度を $\frac{1}{6}$ にするだけで月面上での砲弾の動きを作ることができます。このように、さまざまな場面や条件下でのシミュレーションを簡単に行うことができるのが方程式を利用することの利点です。こうした物理法則に基づいたシミュレーションは、他にも CG（物体による光の反射など）や効果音（音の反響など）を作るときなどにも用いられています。

4-2

確率的シミュレーション

　さて、砲弾の動きは物理法則を取り入れることでそれらしくできましたが、今度は敵キャラの動きが問題になりました。基本的に敵キャラはプレーヤーに近寄ってきて攻撃しますが、みんなひたすら寄ってくるだけだと単調で面白くありません。ときには距離をとって遠距離攻撃をしかけるキャラがいたり、ひたすら逃げまわるキャラがいたりした方が楽しいゲームになりそうです。

乱数の活用 ･･

　そこで登場するのが**乱数**です。これは「乱れた数」ではなく、「でたらめな数」のことです。例えば、0 から 100 の間の数を適当に 20 個書いてみてください。「適当」なので、例えば 5 の倍数だけ書いていくといったような法則を作ることなく、思いついた数字をどんどん書いていったはずです。このように「法則がない」数字のことを乱数と呼びます。

　乱数の中でも、特にどの数字も同じ確率で選ばれる（1 から 100 までの数字であれば、どれも $\frac{1}{100}$ の確率で選ばれる）ような乱数のことを**一様乱数**と呼びます。例えば、1 から 6 までの一様乱数ならば、サイコロを 1 つ投げることで得られます。もちろん、計算機でもこうした乱数を生成することができます（厳密には計算機は計算によって乱数を生成しますので法則があります。その意味で「疑似乱数」と呼ばれます）。ここでは、この乱数を使って敵キャラの動きを作ってみましょう。

敵キャラの動かし方 ･･

　敵キャラの動きは、例えば「0.8 の確率でプレーヤーに向かって動くが、0.2 の確率で逃げる」といったように行動を確率とともに定義します。そして、実際に 1 から 10 までの整数をどれも $\frac{1}{10}$ の確率で生成する乱数を生成し、その値が 1 から 8 の間であればプレーヤーに向かって歩く、9

か 10 であれば逃げるとすればいいわけです。こうすると、すべての整数が $\frac{1}{10}$ の確率で生成されるわけですから、1 から 8 までの整数のうち、どれかが生成される確率は $\frac{1}{10}×8=\frac{8}{10}=0.8$ になります。これで、「0.8 の確率でプレーヤーに向かって動く」といった確率的な動作を実現することができます。

　では、プレーヤーに向かって動く確率を 0.8 ではなく、0.72 にしたいときはどうすればよいでしょうか？　その場合、生成する整数を 1 から 10 ではなく、1 から 100 までにし、1 から 72 までの整数が生成されたときはプレーヤーに向かって動くようにすればよいことになります。ただこうすると、設定する確率の値が小数点以下に何桁あるかによって、生成する乱数の範囲を変更しなければならないので面倒です。そこで通常は、0 から 1 までの実数を乱数で生成させ、その値が 0 から 0.72 の範囲にあればプレーヤーに向かって動くといったことをします。こうすれば、設定した確率の値が小数点以下何桁あっても乱数の生成方法は同じで済みます。

　このような方法によっていろいろな動作を確率的に生成することができます。例えば、「砲弾を撃つ」確率とか「立ち止まる」確率とか、いろいろ定義すれば、バリエーション豊かな動きをさせることができます。しかも、キャラによって確率を変化させておけば、それぞれの特徴を出すこともできます。

確率的シミュレーション …………………………………………………

　こうした方法はゲームだけでなく、各種のシミュレーションでも使われています。例えば、ショッピングセンターに新しいお店ができるとしましょう。人はどれくらい集まるのか、通路や駐車場はどれくらい混雑するのか、一人あたり何点くらい商品を買ってくれて、レジにはどれくらい人が並ぶのか。こうしたことを事前に考えておかないと、オープン当日に大混乱してしまう可能性があります。それを防ぐために行われるのが**人流シミュ**

レーションです。

　人流シミュレーションでは、ショッピングモールに来た人のうち、何割くらいが新規開店の店に行こうとするのか、そこが混んでいたとき、何割くらいの人はあきらめるのか、といった確率を事前に設定し、実際に乱数を使って人の動きをシミュレーションします。人（ゲームで言うところのキャラクター）をいっぱい画面に出し、それぞれ乱数を使って確率的に動かしていきます。その結果を見て、どれくらい列が長くなりそうかとか、何時頃に混雑がピークになるかとか、いろいろ調べて対策を考えるのです。

　もちろん、正確な確率を設定できるわけではありませんので、過去の類似した事例から確率を推測したり、いろいろな値を設定してみたりして数多くのシミュレーションを繰り返していきます。このようにして複雑な現象を分析する方法を**確率的シミュレーション**と呼びます。確率的シミュレーションはさまざまな分野で行われています。

　例えば、ある地域で繁殖力の高い外来生物が確認されたとき、今後どのように数が増えていくかとか、在来種に対してどのような影響があるかとか、そうしたことにも使われています。このように「未来を予測する」技術として、確率的シミュレーションは非常に役立っています。

モンテカルロシミュレーション ……………………………………………
　確率的シミュレーションは未来を予測する技術ですが、それ以外にも、ちょっと意外な使われ方をしています。ここではそうした例を紹介しましょう。

　突然ですが、円周率って知っていますか？　もちろん言葉は知っていると思いますし、「3.14」と答える方もいるかもしれません。ではその先の桁はどうでしょうか？　円周率は 3.1415926535…と無限に続く数字ですが、この値はどうやって求めているのでしょうか。

　円周率の求め方にはさまざまな方法がありますが、その一つとして**モンテカルロシミュレーション**による方法があります。ここではそれを簡単に説明しましょう。今、原点に中心がある半径 1 の円があったとします（図4.1）。その面積は半径 r=1 ですから π r²= π ですね。一方、この円をちょうど囲むような正方形は 1 辺の長さが円の直径と同じ「2」になりますから、その面積は 4 です。ここで、−1 から 1 までの実数を乱数で 2 つ生成します。それぞれの値を x 軸、y 軸の値とすると、この点は先ほどの正方形の中のどこかにあることになります。さて、この点が円の内側にある確率はいくつでしょう？

　乱数で生成した点は、必ず正方形の中にプロットされます。その正方形全体の面積は 4、一方、円の面積は π ですから、ある点が円の内側にプロットされる確率は $\frac{\pi}{4}$ となります。おおよそ 0.79 くらいですね。ということは、乱数で点を 100 個生成したとすると、そのうち 79 個くらいは円の内側に、残りの 21 個くらいは円の外側にプロットされるということです。ここまで書くと、もうわかりましたか？　そうです、乱数で点を数多く生成し、それが円の内側にあるか外側にあるか判定します。例えば、10,000 個生成し、そのうち 7,841 個が円の内側にあったとします。そ

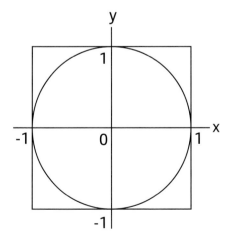

図 4.1：半径 1 の円と、それを囲む 1 辺の長さ 2 の正方形

うすると円の内側にプロットされる確率は $\frac{7841}{10000}$ =0.7841。これが $\frac{\pi}{4}$ に等しくなるわけですから、π =0.7841×4=3.1364 と求まります。

　「3.141」とは少しずれています。乱数で点を生成していますから、今回は「たまたま円の外側にプロットされる点が少し多かった」ということもよく起こります。では、そうした「ゆらぎ」の影響を少なくするにはどうすればいいでしょうか？　そうです、もっと数多く点を生成すればよいですね。

　例えばサイコロを投げたとき、本来ならばどの数も $\frac{1}{6}$ で出てくるはずですが、2回投げて2回とも1が出ることもありますよね。でも、10,000回投げてすべて1が出るということは（可能性はゼロではありませんが）ないと思います。これは「たまたま」2回とも1が出ただけであって、数多く実行すれば、自然と確率どおりの結果が出てきます。これは**大数の法則**と呼ばれ、確率どおりの現象を見るためには数多くの試行が必要になります。ですから、円周率を求めるときにも、数多くの点をプロットする必要があるのです。

　実際にプログラムを作成して実験してみましょう。原点に中心があり、半径1の円の方程式は $x^2+y^2=1$ ですから、ある点の座標が (a、b) であったとき、$a^2+b^2≤1$ であれば、その点は円の内側に、そうでなければ円の外側にある、と判定できます。このようにして、乱数で点を数多く生成し、そこから計算された π の値がいくつになるのか実験してみました。計算結果を表4.1 に示します。これらの値は乱数を使って計算していますので、もちろん実行するたびに値が変わります。もしやる気があれば、みなさんもプログラムを書いて実行してみてください。この表を見ると、だんだん正しい値に近くなっていることがわかります。まさに大数の法則ですね。それでも10億回実行して、小数点以下3桁くらいまでしか正確な値になっていません。正しい値を得るためには、もっと多くの試行が必要ということです。

点の数	円周率の推定値
10	2.8
100	3.36
1,000	3.108
10,000	3.158
100,000	3.13896
1,000,000	3.142648
10,000,000	3.1411564
100,000,000	3.14178808
1,000,000,000	3.141628824

表 4.1：モンテカルロシミュレーションによる円周率の計算結果

　このような方法で円周率を求めることができますが（ちなみにこの方法では小数点以下を 1 桁多く正しい数字にする〔精度を 10 倍にする〕ためには 100 倍の試行が必要であると言われています）、同じようにして$\sqrt{2}$の値も計算できます。まず 0 から 2 までの実数を 1 つ生成し、その 2 乗の値を計算します。この 2 乗した値が 2 以下であれば、元の実数は$\sqrt{2}$以下だったということですよね。さて、0 から 2 までの実数を生成したとき、その数字が$\sqrt{2}$以下である確率は？　そう、全体が 0 から 2 までですから、そのうち$\sqrt{2}$以下である確率は$\frac{\sqrt{2}}{2}$となります。あとは実際に 0 から 2 までの実数を数多く生成し、その 2 乗の値が 2 以下である確率を計算すれば、その確率値を 2 倍することで$\sqrt{2}$の値を推定することができます。こうした方法をモンテカルロシミュレーションと呼びます。みなさんも一度この方法でどんな値を求めることができるか考えてみてください。

4-3

検定

　ある日、Aさんが駅前のスーパーに行くと福引きをやっていました。500円の購入ごとに1回引けるというものです。暇だったAさんは当たり外れをカウントしながらその様子をずっと眺めていました。147回数えたところで1等が1回も出てきません。そこで店長に聞きました。「そもそも1等ってどれくらいの本数入っているの？」「50本に1本は1等ですよ」。ということは、確率で言えば$\frac{1}{50}$、50回引けば1回は当たるはずです。「本当は1等なんて入ってないんじゃない？　絶対に店長は嘘をついている」と思うAさんでした。

店長は嘘つき？ ……………………………………………………

　本当に店長が言うように1等が50本に1本入っているのであれば、147回引けば2回か3回は出てもおかしくないように思います。さて、店長は本当に嘘つきだったのでしょうか。たとえ50本に1本1等があるといっても、50回引けば必ず1回1等が出るというわけではありません。そこは確率ですから、たまたま1回も出ないこともあるし、逆に2回続けて出ることもあります。こんなときは、それぞれの事象について確率を計算してみることにしましょう。

　1等が50本に1本入っているとすると、1回引いて1等が出る確率は $\frac{1}{50}$ =0.02です。つまり、2%の確率ということになります。ですから、1回引いて1等が出ない確率は、余事象の確率を計算すればよいので $1-\frac{1}{50}$ =0.98となります。

　では、2回引いて2回とも1等が出ない確率はどうでしょうか？　これは「1回引いて1等が出ない」事象が2回連続で起きたわけですから、「1回引いて1等が出ない確率」を2回かけ算すればよいということになります。0.98×0.98=0.98^2≒0.96くらい。96%の確率で起きるわけですから、2回引いて1等が出ないのはありがちなことと言えそうです。ちなみに10回引いてそれでも1等が出ない確率は0.98^{10}≒0.82。つまり82%の確率ですから、当たらなくても文句は言えないレベルかもしれません。

　では、147回引いても1回も当たらないという事象は、どれくらいの確率で起きるのでしょうか？　0.98^{147}≒0.051。およそ5%です。つまり、20回に1回くらいは起きる程度の「めずらしさ」ということになります。仮にAさんが20日間、毎日スーパーの前でひたすら福引きの結果を観測し続けた（1日あたり約150回分）として、19日間は1等が出たけど、ある日は1等が1回も出なかったといったイメージです。ちなみにサイコロ2個を同時に投げて、1のゾロ目か6のゾロ目が出る確率が $\frac{1}{6}$ × $\frac{1}{6}$ ×2≒0.056ですから、同じくらいの確率です。そう考えると、意外と「あってもおかしくない」かもしれません。

だまされてはいけない ……………………………………………………

　でも、それだからといって店長は嘘をついてはいなかったんだ…とはなりません。今回わかったことは「仮に1等のくじが本当に50本に1本入っていたとしても、たまたま147回連続で1等が出ないことは5%くらいの確率であり得る」ということだけです。これは「1等のくじが本当に50本に1本入っている」ことを証明しているわけではありません。なぜ

なら、1 等のくじを 1 本も入れていなくても、同じように 147 回連続で 1 等のくじが出ないからです。このままでは 1 等のくじが「50 本に 1 本入っている」か「1 本も入っていない」かは区別ができないということなんです。ややこしい言い方をすれば、「1 等のくじが 50 本に 1 本の割合よりも低い割合ではいっていたとは断言できない」というのが結論になります。なんだかまわりくどいですが、正確に表現しようとするとこうなります。

今回のように、ある事象が確率的にあり得るのか、それともあり得ないのかといったことを検証する方法を**検定**と呼びます。検定は一般的には次のように行われます。

(1) まず検証したい仮説（今回の例だと「1 等のくじは $\frac{1}{50}$ より低い確率で出現する」）を考えます。この仮説のことを**対立仮説**と呼びます。

(2) 対立仮説と対立する仮説（「1 等のくじは $\frac{1}{50}$ の確率で出現する」）を考えます。この仮説のことを**帰無仮説**と呼びます。

(3) 帰無仮説が正しいと仮定したときに、観測された事象（147 回連続で 1 等が出なかった）が発生する確率を計算します。

(4) 計算した発生確率が「あり得ない」くらい低ければ、帰無仮説が正しくない、つまり対立仮説が正しいと結論づけます。一方、発生確率がそれなりに「あり得る」くらいの確率であれば、帰無仮説は正しいかもしれない（正確には帰無仮説が正しくないとは言えない）と結論づけます。そのため、対立仮説も正しいか正しくないかわからないということになります。

なお、どれくらい低い確率であれば、「あり得ない」くらい低い確率と言ってよいのか、についてはちゃんとした答えはありません。あくまでも確率

の話ですから、確率が0より大きければ、偶然発生するかもしれないということは否定できできないのです。

　そこで、よく用いられている考え方が**有意水準**です。これは「有意水準1%」というふうに用いられますが、発生確率が何%以下だったら「あり得ない」と考えるかということを表します。「有意水準1%で検定せよ」と言われたら、発生確率が1%より低かったら「あり得ない」と考えてよいということです。この場合、1%以下の確率では「あり得ない」はずの事象が発生するということになりますので、本当は発生する可能性がある（帰無仮説が正しくないとは言えない）にもかかわらず、「あり得ない」と結論づけてしまう（帰無仮説が正しくないとしてしまう）間違いを1%くらいの確率で起こすことになります。こうした間違いのことを**第1種の過誤**と呼びます。

　こうした間違いを避けるため、有意水準は低く設定した方がよいのですが、一方で低く設定してしまうと、本当は「あり得ない」と考えてよい事象を「もしかしたらあり得るかもしれない」と考えてしまうことになってしまいます。その結果、「帰無仮説は正しくない」としてよいはずの事象に対して、「帰無仮説は正しくないとは言えない」という結論になり、対立仮説が正しいかどうかわからなくなります。こうした間違いを**第2種の過誤**と呼びます。そのため、有意水準をいくつに設定するかは、その時々で「よさそうな」値にする必要があります。一般的には1%や5%がよく用いられます。

検定結果の意味

　先ほど説明したように、検定では帰無仮説を考え、それが正しくないと言えるか（帰無仮説が成立するとしたときに観測された事象が発生する確率が有意水準以下か）を検証します。正しくないと言えれば、「対立仮説が正しい」という結論になります。

　一方で発生確率が有意水準以上であったときは「帰無仮説が正しくないとは言えない」という結論になるのですが、それは対立仮説が正しくないということではありません。あくまでも、「正しいとは断言できない」だけであって、「正しいかもしれないし、正しくないかもしれない」というのが結論です。でも、こんな中途半端な結論では納得ができないですよね。その場合はどうしたらよいでしょう？

　解決策の一つが「試行回数を増やす」です。今回の例だと、147回連続して1等が出なかったわけですが、もっと長い時間観測して福引きの回数を多くしてみればよいのです。例えば200回観測して、それでも1回も1等が出なければ、帰無仮説が正しい（1等の出る確率は$\frac{1}{50}$である）としたときの確率は$0.98^{200} \approx 0.018$となり、300回観測すれば$0.98^{300} \approx 0.0023$と、どんどん確率が低くなります。つまり、どんどん「あり得ない」ことになり、結果として「帰無仮説は正しくない」と結論づけてよいことになります。

　何かの事象について検定を行い、「帰無仮説が正しくないとは言えない」という結論になったときは観測回数を増やしてみる、ということもやってみてください。観測結果によっては結論が変わる可能性もあります。

5

データの分布形状の考慮

この章で学ぶ主なテーマ

分布形状の考慮
距離尺度
主成分分析

「身近なモノやサービス」から見てみよう！

　ちょっとしたスキマ時間に簡単にできるソーシャルゲームをやった
ことがある人は多いと思います。基本、プレイは無料でできるものが
多く、ついついはまってしまう気持ちもよくわかります。

　ただ、そうやってゲームを進めていくと、お金を払ってでもアイテ
ムやレアカードがほしくなる。で、ちょっとだけ…と思いながら課金
してガチャを引く。当たりを引ければ楽しいし、引けなければ悔しい
から、ついついもう1回。こうして課金の沼にずぶずぶと…。世の
中には借金までして課金している人もいるようですので、そうならな
いように注意してくださいね。

　それにしても、人はなぜそこまでソーシャルゲームにはまってしま
うのでしょう。いわゆるガチャには、心理学的なワナがいろいろ仕掛
けてあります。例えば、1回あたりの金額は少額なので、「あと1回
だけ…」とずるずるやってしまいがちです。また、「今まで〇〇〇〇
円もつぎこんだのだから、ここで止めるのはもったいない」という気

持ちになったり、一度当たったときの快感が忘れられなかったり。ゲームメーカー（運営側）としては、いかにユーザに課金してもらうかが重要ですから、そのための仕掛けをいろいろと考えています。

　また、「意外に当たりそう」と思わせることも重要です。例えば、レアカードが2%の確率で当たると書いてあったとしましょう。2%ということは、50回まわせば1回は当たる確率です。1回200円としたら1万円課金すれば当たるはず。人によっては「ちょっと高いけど、がんばって課金しようかな」と思ってしまうかもしれません。

　でも、ちょっと待ってください。本当に1万円でレアカードは当たるのでしょうか。当たるかどうかは確率事象ですから、運の良い人は1回まわしただけで当たります。一方、運の悪い人は50回まわしても、100回まわしても当たらないかもしれません。では、その確率は？

　1回まわして当たる確率は0.02ということは、1回まわしてはずれる確率は0.98です。では、2回まわして2回ともはずれる確率は？これは$0.98^2=0.9604$ですね。では、50回まわして全部はずれる確率はいくつでしょうか。みなさんも電卓を使って計算してみましょう。答えは$0.98^{50}≈0.36$。サイコロを投げて1か2が出る確率は$2/6≈0.33$ですから、おおよそ同じくらいですね。つまり、サイコロを投げて1か2が出たら、ガチャを50回まわしてもレアカードが出ないことが確定します。そう考えると、わりと高い確率だと思いませんか？

　ちなみに100回まわしても出ない確率はおよそ13%です。課金をしてレアカードをゲットしようと考えたときは、こうした「事実」も思い出して少し冷静になってみましょう。

5-1

分布形状の考慮

　先日行われた数学の小テストの採点結果がAさんのもとに戻ってきました。手ごたえを感じていたAさんは88点という点数を見て喜んでいます。そこへ先生からひと言。「今回の小テストは100点だった人がクラスの半分以上。平均点は96点だ。みんなよく勉強してくれたみたいだな。先生は嬉しいよ」。どうもテストの内容が簡単すぎたみたいです。Aさんは点数だけ見て、ぬか喜びをしていました。

みんなの点数との比較 ………………………………………………

　この例のように、テストの難易度は毎回変化します。先生の方は簡単になりすぎないように、しかも難しくもなりすぎないように問題を作りますが、いつもうまくいくわけではありません。そんなときに、自分の点数がよかったのか悪かったのか、判断するための一つの指標が「平均点」です。これを越えていれば、平均より上なんだから、とりあえず「よい点」といってもよいのかもしれません。

　しかし、本当に平均点を越えていれば安心してよいのでしょうか。例えば、10人でテストを受けたとしましょう。あなたの点数は80点、2人は0点、残りの7人は100点満点でした。全体の平均点は78点になりますが、はたして80点とったあなたは「みんなよりできた」と満足できるでしょうか。見方を変えれば、ビリから3番目です。10人中7人が満点をとっているテストで80点では、さすがに満足することはできません。一方で、100点が2名、80点があなたともう1人、70点が6名という結果だったらどうでしょうか。平均点は同じ78点です。この場合は10人中、同率3位なので、「みんなよりできた」と思ってもよさそうです。

　このように、極端な点数をとった人がいると平均点は大きく変わってしまいます。そこで、みんなの出来を表すような「平均的な値」を別の計算

で定義し、極端な点数をとった人がいる場合でも、自分が「みんなよりできた」かどうかわかるようにするための方法が考えられてきました。

どんな値と比較すればいいか？ ………………………………………

　その一つが**中央値**です。テストを受けた全員で順位をつけたとき、ちょうど真ん中の順位の人の点数が中央値になります。もし自分の点数が中央値より上ならば、少なくとも上位 50% の中にいることがわかります。これなら「平均以上」と言ってもよいのかもしれません。（もし 11 人でテストを受けたなら 6 位の人の点数が中央値です。テストを受けた人数が偶数であれば、その場合は真ん中前後の 2 名の平均値を計算します。例えば 10 人でテストを受けたなら 5 位の人と 6 位の人の点数の平均点が中央値です）

　もう一つ、よく使われている値が**最頻値**です。これはどれくらいの点数をとった人が最も多いかを表します。例えば 100 点が 7 人、80 点が 1 人、0 点が 2 人だったとすると最頻値は 100 点です。でも、普通のテストは 1 点きざみで点数が出ますから、同点の人が何人もいるという状況はあまりないですよね。ですから通常は「0 点〜 10 点の人」「11 点〜 20 点の人」のように、ある程度の幅（これを**階級幅**と言います）をもたせて人数を集計し、その人数が一番多い階級の中心の値（例えば「51 点〜 60 点」の人数が一番多ければ 55 点とか）を最頻値とします。こうすると一番人数が多い点数、つまり「普通」の点数がわかります。ただし、みんなの得点の分布がきれいな山型ではなく、2 つの山があるような場合は、そのどちらかの山が最頻値となるので、必ずしも「平均的」な値になるわけではありません（図 5.1）。

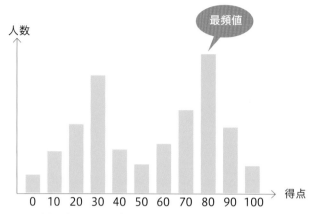

図 5.1：得点分布に 2 つの山があるときの最頻値の例

　さて、ここでは実例を一つ紹介しましょう。厚生労働省が発表している「2021年　国民生活基礎調査の概況」(https://www.mhlw.go.jp/toukei/saikin/hw/k-tyosa/k-tyosa21/index.html) によると、全世帯の所得金額の平均値は 564 万円でした。ここまで聞くと、半分くらいの世帯は 564 万円以上もらっているように思いますが、実は所得金額が 564 万円より高い世帯は 38.5% しかなく、残りの世帯は「平均以下」です。他の値も計算してみると、所得金額の中央値は 440 万円、最頻値は 350 万円でした。つまり、全世帯を所得金額順に順位をつけてみると、ちょうど中央の世帯の所得金額は 440 万円、また、所得金額が 300 万〜400 万円の世帯の人たちが一番多いということになります。

　さらに分布を見てみると（図 5.2）、「100 万〜 200 万円」「200 万〜300 万円」「300 万〜 400 万円」の階級に所属する世帯が、それぞれ13.1%、13.3%、13.4% ですので、最頻値がいくつになるかはこれらの階級の分布が少し変化するだけで大きく変わります。「100 万円以下（5.4%）」の世帯も含め、400 万円未満の世帯が全体の 45.2% もいると思うと、平均値の 564 万円はまったく普通ではないように思えます。平均値といっても、それが何を表しているのか、分布全体はどうなっているのかといったことを常に意識しながら数字の意味を考えなければなりません。

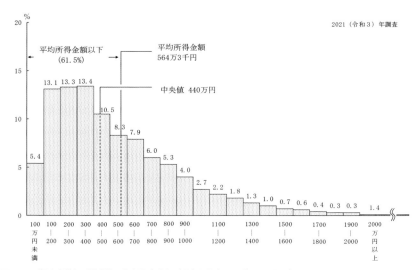

図 5.2：所得金額階級別世帯数の相対頻度分布（厚生労働省ウェブサイトより）

偏差値とは何か ···

　平均値だけ見ていると、思わぬ誤解をしてしまいそうですが、それでは模擬試験などでよく出てくる「偏差値」はどういう数字なのでしょうか？偏差値によって志望大学を受験するかどうか、人生を変える選択をしますが、この数字はどこまで信用してよいのでしょうか。

　結論から言うと、偏差値を信用できるかどうかも「分布形状次第」です。受験生全体の得点分布が、図 5.3 のような平均を中心に一つの山になっている（正確には正規分布の形状をしている）ときに意味があります。このときは、中央値も最頻値も平均値とおおよそ一致します。

　一方、例えば受験生の半分くらいが 100 点をとっていたり、図 5.4 のようによくできた受験生とできなかった受験生が 2 つに分かれ、得点分布に 2 つの山ができているといった場合は、偏差値を計算することはできるのですが、あまり意味のない値になってしまいます。もちろん、分布形状が正規分布から少しでもずれたら駄目かというと、そうではありませ

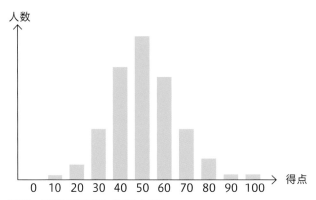

図 5.3：偏差値が意味を持つ得点分布の例

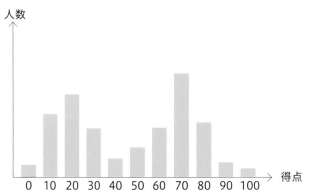

図 5.4：偏差値が意味を持たない得点分布の例

んが、ずれが大きくなってくるとだんだん意味がない（信用できない）値になっていきます。

　なお、一般に自然に起こる現象は、数多く集めると正規分布のような形状をすることが知られていますので、受験生が大量にいれば、おおよそ正規分布のような形状になるというのが、偏差値がよく用いられている根拠です。

　では、偏差値とはどのような値なのでしょうか。受験生全体の得点分布が一つの綺麗な山になるというのが前提ですので、平均値は山の中心になり、また平均値以上得点をとれている人は全体のおよそ半分となります。では、仮に平均点が70点だったとして、このテストで80点とれた人は、どれくらい優秀なのでしょうか。

　受験生の多くが平均点近くの点しかとれていないのであれば、80点とれた人はかなり優秀となりますよね。一方で、みんなバラバラの点数（点数が高い人も低い人もいっぱいいる）というような状況であれば、80点とれてもあまり優秀とはいえない（もっと点数が高い人たちもいっぱいいる）のかもしれません。つまり、得点分布が鋭い山なのか、それとも比較的平坦な山なのかによって「平均点より10点多い人」の評価も変わってくるのです。

　そこで登場するのがこの偏差値です。もともと得点分布の山の拡がりはいろいろあるのですが、それらの横軸を適当に伸縮させたり、位置をずらしたりして図5.5のような形状をした山に変形させたときの得点を計算します。この山は中心（平均値）が50点になっていて、また山の拡がり（**標準偏差**という数字で表される）も10点になっています。この値を見ると、偏差値50ならば平均値と同じ点数ですが、偏差値60なら受験生

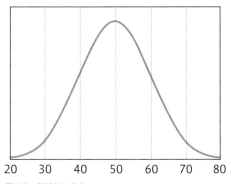

図 5.5：偏差値の分布

全体の上位 16% くらいの位置に、偏差値 70 なら上位 2.3% くらいの位置にいるといったことがわかります。難しいテストでも易しいテストでも、全体の分布形状が正規分布になっていれば、偏差値 60 は常に上位 16% です。

偏差値の計算方法

　偏差値を計算する上で必要な値は、平均値と分布全体の拡がり方です。この「分布全体の拡がり方」は標準偏差で表されますが、この標準偏差を 2 乗した値を「分散」と言います。分散は、個々のデータが平均値からどれくらい離れているか、という値の平均値です。例えば、4 人のテストの点数が 30 点、40 点、75 点、95 点だったとすると、平均点は 60 点、それぞれの点数が平均値からどれくらい離れているかという値は、−30 点、−20 点、15 点、35 点となりますね。これらの平均値を計算するわけですが、見てわかるとおり、「平均値からどれくらい離れているか」の値はプラスにもマイナスにもなり得ますので、単純に平均をとると 0 点になってしまいます。そこで、この値を 2 乗し、すべてプラスの値にしてから平均をとります。この例の場合だと、$\frac{(-30)^2+(-20)^2+15^2+35^2}{4}$=687.5 となります。これが分散の値です。さらにこの値のルートをとった値 ($\sqrt{687.5}$=26.22) が標準偏差の値となります。

　単純に平均をとると 0 点になってしまうということを避けるのが目的なのであれば、2 乗にしなくても絶対値でいいのでは？と考える人もいるかと思います。平均値との差の絶対値をとり、その平均値を計算したものは**平均絶対誤差**と呼ばれますが、一般には、分布の拡がりを表す値として平均絶対誤差よりも分散や標準偏差の方がよく用いられています。細かい話は避けますが、2 乗の方が微分可能だったり、なにかと都合がよい特徴があります。

　また、平均絶対誤差よりも分散の方が適切に「分布全体の拡がり」を表せることもあります。先ほどの例だと、平均点は 60 点、分散は 687.5

点でしたね。一方、平均絶対誤差は |−30|+|−20|+|15|+|35|=100 と
なります。特に問題がないように見えますが、例えばここで50点からの
ずれを計算してみましょう。|30−50|+|40−50|+|75−50|+|95−
50|=100 で、先ほどと同じです。このように、平均絶対誤差は平均値以
外の値からのずれであっても同じ値になってしまうことがあります。

　例えば、コインが何十枚かちらばっている様子を想像してみてください。
この中のある点から見て、コインがどのようにちらばっているか（近くに
何枚くらいあるのか、遠いコインはどれくらい遠いのかなど）という様子
は、別の点から見れば当然違います。でも、こうしたちらばり方を平均絶
対誤差で表そうとすると、先ほど計算したように、別の点から見ても同じ
値になってしまうことがある、ということです。

　一方分散であれば、平均値以外の値からのずれを計算すると、異なる値
（先ほどの例だと、例えば50点からのずれは$\frac{(30−50)^2+(40−50)^2+(75−50)^2+(95−50)^2}{4}$
=787.5) になります。ですから、「平均値からのずれ」を表す数字としては、
平均絶対誤差よりは分散の方が適切である、ということになります。

　分散 σ^2 の値は、個々のデータの値を x_i、平均値を μ として、以下の式
で計算されます。

$$\sigma^2 = \frac{1}{N} \sum_{i=1}^{N} (x_i - \mu)^2 \qquad 式（5.1）$$

　ここで、N はデータ（x_i）の個数です。データと平均値の差の2乗（(x_i
$-\mu$)^2）の値を個々の x_i について計算し、その総和を個数で割っている、
つまり平均値を出していることがわかります。なお、分散のことは伝統的
に σ^2 と書きます。分散の平方根である標準偏差は $\sigma = \sqrt{\sigma^2}$ と書きます。
ちなみに分散の値は、次の式でも計算できます。

$$\sigma^2 = \frac{1}{N} \sum_{i=1}^{N} x_i^2 - \mu^2$$

　これは「データの2乗（x_i^2）の平均値から、データの平均値（μ）の2乗を引く」という計算です。憶えやすいですね。先ほどの式（5.1）とは数学的に同値です。興味のある人は2つの式が同値であることを証明してみましょう。

　平均値と標準偏差を使って、得点が x_i である人の偏差値 T_i は、以下のように計算できます。

$$T_i = 10 \times \frac{x_i - \mu}{\sigma} + 50$$

　得点がちょうど平均値に等しい（$x_i = \mu$）場合は偏差値50、また得点が平均値よりちょうど標準偏差の値だけ高い（$x_i = \mu + \sigma$）場合は偏差値60になることがわかります。標準偏差は分布が拡がっていれば大きく、分布が狭ければ小さいわけですから、分布が拡がっている（みんなの得点がバラバラ）の場合は平均値よりかなり高い点をとらないと偏差値60にはならず、逆に分布が狭い（ほとんどの人が平均点くらいをとっている）場合は、平均点より少し高い点をとるだけで偏差値60になる、ということです。

5-2
距離尺度

　Aさんのクラスでは、数学のテストに続いて英語のテストも返却されました。Aさんの英語の点数は42点でした。「自分は理系人間だから英語が苦手だ」と思ったAさんですが、本当にそういう傾向ってあるのでしょうか？　クラスの分布を図にして検証してみましょう。紙に縦軸と横軸を書き、横軸に数学の点数、縦軸に英語の点数をとると、一人の生徒の成績がグラフ上の1点になります。こうしたグラフを**散布図**と呼びます。

　数学の点数はみんなよかったので横軸の範囲は80点〜100点くらいにします。英語はバラバラな点数だから0点から100点までとします。そのグラフの上に生徒たちの点数をプロットしていきます（図5.6）。そうすると右下には理系人間が、左上には文系人間が集まってきます。右上にいるのは数学も英語もできる天才集団ですね。グラフにしてみると、どんな人が多いのか一目瞭然です。

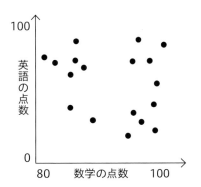

図5.6：Aさんが作った得点散布図

天才に近いのはどちらか ・・・・・・・・・・・・・・・・・・・・・・・・・・・・・・・・・・・・・

　こうして、グラフ上の点の場所で得意科目の違いがわかるようになりました。次に、それぞれの点の間の距離を測ると、その人同士の得意・不得意の傾向がどれくらい近いかわかるようになります。距離といっても定規

を使って測ることはしません。2点間の距離は座標値から計算ができます。例えば、点 a の座標値が (1,2)、点 b の座標値が (4,6) だったとすると、点aと点bの間の距離は$\sqrt{(1-4)^2+(2-6)^2}$ =5と計算できます。これを使って、図 5.6 にある各点の間の距離を測ってみることにしましょう。

　Aさんの数学の得点は 88 点、英語は 42 点でした。自分がどれくらい勉強ができるのか、クラスの天才Bさんとの間の距離を測ってみることにします。Bさんの得点はそれぞれ 100 点、93 点です。この 2 人の間の距離は$\sqrt{(100-88)^2+(93-42)^2}$=52.4 くらい。基準がわかりませんが、やはり天才との距離はまだ遠そうです。次にCさんの得点は、数学は最低点の 82 点で、英語は 78 点でした。天才Bさんとの距離を計算すると、23.4 とAさんの半分以下です。CさんはAさんより数学の点数は低いですが、天才にかなり「近い」と言えます。

　同じようにして、いろいろな生徒の得点を比べているとあることに気づきます。「英語の点が高いほど天才に近い」のです。つまり、天才に距離が近い人たちは、ことごとく英語の点数が高い文系人間だったのです。どうしてこのようになるのでしょうか？　その理由は、今回は数学のテストが簡単だったため、数学が得意な人も苦手な人もあまり点数の差がなかったからです。一方で英語の点数はみんなバラバラなので、得意な人と苦手な人の間で点数に差がありました。

　散布図を書くとき、Aさんはグラフ全体を見やすくしようと、横軸（数学の点数）の範囲を 80 点〜 100 点に設定しました。なぜなら、数学の点数が 80 点以下の人はいなかったので横軸の範囲を 0 点〜 100 点に設定しても「空白」が増えるだけだからです。このように軸の一部を拡大したグラフは、ぱっと見て実態と異なる印象を与えることがあります。

　試しに、図 5.6 の横軸も、縦軸（英語の点数）と同じように 0 点〜 100 点にしてみましょう。そうして描いたグラフが図 5.7 になります。

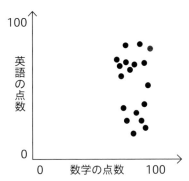

図 5.7：横軸も 0 点から 100 点とした得点散布図

こうして見ると、みんな数学はよくできていた、一方で英語はできた人もできない人もいた、ということがよくわかります。さて、図 5.7 において、改めてどんな人が天才に近いのか考えてみましょう。天才 B さんは赤い点です。この点に近い人たちは、要するに英語の点数がよかった人ということになります。

　このように、点数の分布の拡がり方に違いがあると、単純に距離を測るだけでは求めたいものと違う数字が出てしまうことがあります。距離を測るにも、分布形状を考慮する必要があるのです。では、どうやって分布形状を考慮すればよいでしょうか？

さまざまな距離や類似度 ‥‥‥‥‥‥‥‥‥‥‥‥‥‥‥‥‥‥‥‥‥‥‥‥‥

　その一つが、先ほど出てきた偏差値を使うことです。数学の点数も英語の点数も、それぞれ偏差値を計算し、座標軸に偏差値をとります。こうすると、元の点数の分布形状を補正した形で一定の分布の拡がりをもつようになるので、正しく（求めたい）距離を計算することができます。こうして測った距離のことを**標準ユークリッド距離**と呼びます。

　ユークリッド距離とは、いわゆる普通の距離のことですが、それぞれの座標軸の分布の拡がりが一定になるように値を修正（**標準化**と言います）

してから測った距離が標準ユークリッド距離です。実際には、分散を一定にする計算を行うだけで、偏差値までは計算しなくてもよいのですが、やっていることは同じになります。

　この標準ユークリッド距離以外にも、実はさまざまな距離の定義があります。例えば、先ほどの数学と英語の点数の散布図（図5.6）では理系人間は右下に、文系人間は左上にいました。同じ理系人間でも、より賢い人は原点から遠くの方に、そうではない人は少し原点寄りにプロットされることになります。この2人の間の距離（標準ユークリッド距離）はそれなりに離れてしまうのですが、同じくらい距離が離れていても、もっと文系人間寄りな人（数学はできないけど英語ができる人）とは区別したいですよね。ここで「理系人間」とか「文系寄り」とかという傾向は、散布図で見ると原点からの角度に表れていることがわかります。横軸との間の角度が小さい人ほど理系人間、角度が大きくなると文系寄りになっていくわけです（図5.8）。

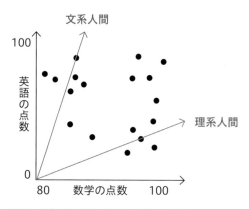

図5.8：文系人間か理系人間かは「角度」に表れる

　そこで、この角度にだけ注目した距離が**コサイン類似度**です。「距離」ではなく「類似度」と表記されるのは、数字が大きいと「似ている」ことを表すからです*。コサイン類似度はその名のとおり、ある2点がそれぞ

れ原点と結んだ直線を引いたとき、その2本の直線の間の角度 θ のコサインの値（cos θ）になります。

　コサインですから、θ =0°のときに最大値1、θ =90°のときに0、θ =180°のときに最小値−1をとります。つまり、2点が同じ方向にあるときに1、ちょうど直角の方向にあるときに0、反対方向にあるときに−1となるわけです。コサイン類似度は角度にだけ依存しますから、原点からどれだけ離れているかといったことには関係しません。つまり、同じ方向にあれば、どれだけ距離が離れていても類似度は最大値である1になるというわけです。この類似度を用いれば、「理系人間」なのか「文系寄り」なのかを表現することが可能になる、というわけです。

　このように、世の中にはさまざまな距離や類似度があります。どのような状態を「近い」としたいのか、どのような状態を「遠い」としたいのか、そうしたことを考えて、適切な距離の定義を用いる必要があるということを憶えておくとよいでしょう。

＊正確には「距離」と呼ばれる値には決まりがあります。いわゆる「距離の公理」を満たすものだけが「距離」と呼ばれるわけですが、コサイン類似度は「距離の公理」を満たさないため、距離ではありません。ちなみに「距離の公理」とは、2点間の距離が0であれば、その2点は同じ点である、またその逆（2点が同じ点であれば、距離は必ず0である）も正しいこと、2点間の距離はどちらから測っても同じであること、2点間の距離は途中で別の点を経由した距離の和よりも長くはならないこと、です。

おまけの話……………………………………………………………………………

　ある日、友だちの家に遊びに行こうとしたAさん。その友だちから「最寄り駅から800mくらい。歩いて来れるよ」と教えてもらっていたので、「800mなら10分くらいかな」と気軽に歩き始めました。ところが、行けども行けども到着しません。結局20分以上かけてやっと家の前までたどり着きました。いったい何があったのでしょうか？　実は、友だちが教

えてくれた 800m という距離は最寄り駅からの「直線距離」だったのです。実際に歩くときは、家や道があるのでもちろん真っ直ぐ歩けるわけではありません。

　ここでも「距離」の定義の違いがありました。日常生活においても、どのような定義の距離なのか注意する必要があるようです。ちなみに、2 次元座標上にある 2 点 (x_1, y_1)、(x_2, y_2) の間の距離（ユークリッド距離）は $d = \sqrt{(x_1 - x_2)^2 + (y_1 - y_2)^2}$ で計算できますが、これとは別に $d = |x_1 - x_2| + |y_1 - y_2|$ と定義される距離があります。これは「縦横方向にしか歩けず、斜めに歩いてはいけない」ときの距離、つまり、まず x 軸方向に歩き、その後 y 軸方向に歩いたときの距離を表します。一方、ユークリッド距離は「ゴールに向かって真っ直ぐ歩いたときの距離」です。当然、ユークリッド距離の方が短くなります。

　この「斜めに歩いてはいけない距離」ですが、京都の街のように碁盤の目のようになった街を目的地まで道沿いに歩いたときの距離になることから「シティブロック距離」や「マンハッタン距離」（ニューヨークのマンハッタンも京都のように碁盤の目のような街だから）と呼ばれています。

主成分分析

　テストの点数と同様、数値化されているデータがあれば同じような比較や分類ができます。そこでAさんは、クラスみんなの運動能力テストの結果で試してみることにしました。さっそく50m走のタイムとソフトボールの遠投の記録を座標軸にしてグラフを作ってみました。しかし、出来上がったグラフ（図5.9）を見ても、いまいち表情が冴えません。なぜなら、右上や左下にはほとんど点がプロットされなかったのです。つまり、「足は早いけど、ボールを投げるのは苦手」な人とか、「ボールは遠くまで投げられるけど、走るのは苦手」な人はほとんどいないという結果となってしまったのです。結局、足が早い人は球技も得意で、そうでない人はどちらも駄目ということがわかっただけでした。

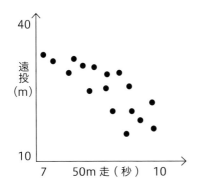

図5.9：50m走と遠投の記録

指標は一つでよい？ ……………………………………………………

　しかし、Aさんはふとあることに気がつきました。「結局のところ、運動能力が高いか低いかしかないのか。ということは、50m走のタイムと遠投距離という2つの指標を使わなくても、運動能力を表すような一つの指標だけあればいいのでは？」。確かに1つの数字だけで、その人の運動能力を表せるならば、そちらの方が効率的です。では、そんな数字はど

うやって導けばよいのでしょうか？

　Ａさんが作成したグラフ（図5.9）を見てみると、各点はおおよそ左上から右下への斜めの線上に集まっています。もしこれが斜めの線上ではなく真横になっていたら、そのときは縦軸（遠投記録）はみんなほとんど一緒で、横軸（50m走のタイム）だけが人によって違うということになりますから、50m走のタイムが、そのままその人の運動能力を表す数字になります。つまり、各点が集まってできている直線が、縦軸か横軸のどちらかと同じ方向であれば、その軸の数字がそのまま運動能力を表す数字として使えるということになるわけです。

　でも今は「斜め」の線上に集まっています。こんなときは斜めに新しい座標軸を作ってしまいましょう。点の集合の形になるべく合うように直線を引き（図5.10）、それを新しい座標軸としてしまいます。原点もその座標軸上の適当な位置に決め、そこから1、2…と目盛をふっていきます。あとは各点の（その座標軸での）値を決めていきます。具体的には各点から新しい座標軸に垂線を降ろし、その交点の座標値を読むということをしていけば、1つの値（新しい座標軸上での座標値）でその人の運動能力を表すことができそうです。なお、図5.10の中で赤で示されている点は、もともと（2次元であれば）違う座標値だった点が、運動能力軸の一つで

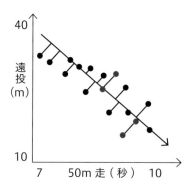

図5.10：運動能力軸の導入。赤い点は運動能力軸では同じ値になってしまったもの

表したために同じ値になってしまったというものです。このような点は軸を減らしたことで、もともと違った2点が区別できなくなる、今の例で言えば、もともと50m走のタイムと遠投の記録に違いがあった2人が、どちらも同じ運動能力を持つ人となってしまいます。これでは、もともとあった情報がどんどん減っていくということになりますので、あまりうれしくはないですね。

　図5.10のように、もともとの点の集合が「ほぼ直線上に並んでいる」ときは、こうした重なってしまう点は少ないわけですが、一方で分布全体が拡がっているような場合（図5.11）は、赤い点の数がかなり多くなってしまうことがわかります。

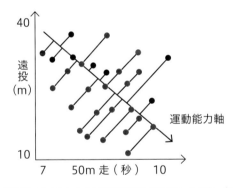

図 5.11：もともとの点の集合が直線上ではなかった場合。赤い点は運動能力軸では同じ値になってしまったもの

　運動能力軸での新しい座標値は、もともとの点から運動能力軸に垂線を降ろしたときの交点の値なわけですから、その交点を通り、座標軸に直角な直線上にある点は、すべて同じ座標値になってしまいます。図5.11のような、こうした点が多いような分布（座標軸と直交する方向にも拡がっているような分布）の場合は、本来異なる点を同じ座標値で表してしまうことが多くなりますので「適切に表現している」とは言えません。

　今回、新しい座標軸を引くことで、みんなの「運動能力」を表す数字を

求めることができたのは、みんなの分布がほぼ直線上になっている、言い換えれば、「足は早いけど、ボール投げは苦手」「球技は得意だけど足は遅い」といった人たちがほとんどいなかったからこそできた、ということになります。

次元圧縮

　このように、もともと2次元で表されていた点を1次元で表すといったように次元を減らすことを**次元圧縮**と呼びます。今回のように、2次元のものを1次元にするということだけではなく、例えば3次元のデータを2次元で表す（この場合は各点の集合が3次元空間上でおおよそ平面の形に集まっていることが必要）とか、もっと高次元なデータをより低次元で表すとか、そうしたことも行われます。

　このとき、なんでもかんでも次元を消してしまえばよいということではないことに注意してください。単純に一つの座標軸を消すといったことをすると、本来違う位置にあった点が、次元圧縮した空間上では同じ位置になってしまうということが起きる可能性があります。これでは、データが持っている情報が減ってしまう（先ほどの例だと、例えば50m走の数字だけ見て遠投記録は一切見ないということです）ことになるので、やってはいけません。次元を圧縮する前に違う点だったものは、次元を圧縮した空間でも違う点になっている、またその距離関係（遠い点同士は遠いまま、近い点同士は近いまま）が保たれているということが重要です。もちろん、次元圧縮前後で、すべての距離関係が完璧に保たれているようにできることは非常に稀（これができるのは例えば2次元空間上ですべての点がぴったり1直線に並んでいるといったときだけ）ですので、実際は「なるべく」保たれるように圧縮するということが行われます。こうしたことをすると、より少ない次元数でデータを表すことができたり、また3次元以上のデータを2次元まで次元圧縮して、図にして見てみるといったことが可能になります。

主成分分析 ···

　では、どうやったらそんなに「都合のよい」座標軸を見つけることができるのでしょうか。ここでよく用いられているのが**主成分分析**です。具体的な計算方法は省略しますが、主成分分析では、まずデータ全体の分布形状を見て、一番「分布が拡がっている」方向、具体的には分散が大きい方向を探します。分散が大きい方向というのは、その方向にさまざまな値を持つデータが存在する、つまり、その方向を無視してしまうと、多くのデータが同じものになってしまうのでよくないということです。ですから、分散が一番大きい方向に座標軸を引き、その方向は採用する（圧縮で消さない）ことにします。

　では、2本目の座標軸はどこに引けばよいのでしょうか。やることは同じです。1本目の座標軸に直交する方向（座標軸はどんなときでも直交する〔直角で交わる〕ので、ここでも直交する方向だけから探します）の中で、一番分散が大きい方向を探し、その方向に2本目の座標軸を引きます。

　同じように3本目、4本目…と引いていきます。どこまで引けばよいかというと、最大はもともとの次元数と同じ数（2次元なら2本、3次元なら3本）ですが、それだと次元圧縮していないことになりますよね。ですから、もともとの次元数より少ない本数を適当に決め、その本数まで引くことになります。

　本数の決め方は目的によります。「高次元のデータを2次元グラフで可視化したい」という目的であれば、2次元にする（2本だけ座標軸を引く）ことになります。一方、「データの距離関係をあまり変更せずに次元数を減らしたい」ということであれば、「距離関係をあまり変更しない」状態になっているのを表すような指標（**累積寄与率**など）を計算し、その値が十分な値になった段階で終わるといったことを行います*。

得られた座標値の意味 ………………………………………………………

　こうして主成分分析を行うと、例えば3次元のデータが2次元で表されるということになります。さて、得られた2次元のグラフの縦軸や横軸は何を表しているのでしょうか？

　もともとのデータであれば、例えば横軸は「50m走のタイム」のように何を表しているかがはっきりします。しかし、主成分分析を使って次元圧縮した空間では、各座標軸は「分散が大きい方向」が選ばれていますので、その座標値は何かと対応しているわけではありません。そのため、一般には「第一主成分軸」「第二主成分軸」などと呼ばれます。またそれぞれの軸での座標値も、物理的な意味のある値ではなく、単位もありません。主成分分析の結果得られたデータを見るときは、こうしたことに注意しましょう。

　ただ、得られた主成分軸の「解釈」を行うことは、実際によくやられています。例えばAさんが作成したグラフで「運動能力」を表す数字が出ていた例がありましたが、これはAさんが引いた座標軸上の値が運動能力を表していると「Aさんが勝手に思った」だけです。そういう値である保証はありません。このように、ある主成分軸上の値の意味を「考えて」「名前をつける」ことはよくやられていますが、それは作業者がデータの意味を考えて解釈した結果であり、そういう値が「理論的に出る」といったことはないことに注意してください。主成分軸に「自分にとって都合のよい」解釈で名称をつけ、それが正しいものとして自分の好きな方向に結論を導いていくようなことをする人もいますので注意しましょう。

＊いくつであれば十分なのかという問いに答えはありませんが、累積寄与率は座標軸を増やしていくと単調に増加〔最大は100%〕しますので、累積寄与率がおおよそ80%くらいとか、座標軸を一つ増やしても累積寄与率がほとんど上がらなくなったといった段階で打ち切る、といったことがよく行われています。

6

クラスタリング

この章で学ぶ主なテーマ

クラスタリングとは
k-means アルゴリズム
階層型クラスタリング

「身近なモノやサービス」から見てみよう！

　近年急速に注目を集めている職業に「データサイエンティスト」というものがあります。言葉だけ聞くと、なんだか頭の切れる人がデータを使って新しいことを次々と発見していく、そんなクールなイメージがありますよね。将来はデータサイエンティストになりたいと憧れている人も多いのではないでしょうか。では、実際にはどんな仕事をしているのでしょう。また、この職業に就くためにはどうすればよいのでしょうか。

　データサイエンティストはその名の通り、データを分析し、そこから新しい知見を得ることを仕事としています。例えば、店舗の売上データを分析し、今どのような商品が売れているのか、どんなお客にどんな商品をおすすめすればよいのかといったことをデータから導き出します。かつては店長や販売員が経験を頼りにやっていましたが、それをデータの分析結果という根拠とともに示すのが大きな違いです。その結果、今まで見逃していた売れ筋商品が見つかるといった新たな発見も期待できます。

　このようなデータ分析は、実は昔からよく行われていました。では、なぜ最近になって話題になってきたのでしょうか。その原因の一つは、収集されるデータの量が莫大になり、またそれらを分析できるだけの計算能力がコンピュータに備わってきたからです。今や顧客の購買履歴だけではなく、ネットを使って何を検索したのか、どんな動画を見たのか、また交通系 IC カードの使用履歴やスマホの GPS データなどから「誰が、いつ、どこにいるのか」といったデータが日々集められています。そして収集された巨大なデータを分析し、新たな知見

をそこから見つけ出し、例えば「売り上げアップ」に役立てようというのが、データサイエンティストの仕事です。

　ここで重要なのは、どんなデータに対しても決まった手順で分析すれば、新しい知見が必ず得られるというわけではないということです。今まで導き出せなかった知見を得るためには、どのような方法でデータを分析し、得られた結果をどう解釈すればよいのか、さらにそれをビジネスで活かすためにはどうすればよいのかといったことを考える必要があります。「こうやっておけばいい」という定石があるわけではないのです。

　そのため、データサイエンティストには、この章以降で学ぶようなデータを分析するための知識や情報科学の知識に加え、分析結果をビジネスで役立てるために経営学や経済学の知識も必要になります。さらに分析対象となる業界に関する詳細な知識も必要です。そして、分析結果を検討するためには論理的な思考能力も重要になります。

　こう書いてしまうと、なんだか大変な仕事で自分にはとてもできそうにないと思ってしまうかもしれませんが、そんなことはありません。近年、データサイエンスを専門に勉強できる大学も増えましたし、そうしたところで必要な知識を身につけることは可能です。大切なのはやる気、データサイエンティストになるぞ、という気持ちです。興味のある人は、ぜひデータサイエンティストを目指してみてください。

クラスタリングとは

　前章では「運動能力」を例に取り上げてみましたが、やはり人によって得意な運動や苦手な運動といった何らかの傾向はありそうです。そこで「50m 走のタイム」と「遠投距離」だけでなく、いろいろな計測結果を入れてみたらどうなるでしょうか。「反復横飛びの回数」とか「水泳 25m のタイム」、さらに「ダンスの評価点」なんかも取り入れてグラフを作ってみることにしましょう。

　そうやって集めた指標の数が全部で 12 個だとすると、12 次元空間上にプロットされます。当然紙にグラフを書くことはできないので 2 次元まで次元圧縮してみました。その結果、なんだかよくわからない分布に…。累積寄与率も低いので無理に圧縮しすぎたようです。さて、こんなときはどうすればよいでしょうか。12 次元空間を「目で見る」ことができればよいのかもしれませんが、それは無理な話です。ここで思い出したいのが、5-2 で英語と数学の点数をもとに誰が天才に近いのか距離を計算したことです。これは 12 次元になっても話は同じ。それぞれの点の間の距離（ここでは各軸の値の範囲がバラバラなことから標準ユークリッド距離を使うことにします）を計算すると、誰と誰が近いのか、誰と誰は遠いのかということがわかります。つまり、「球技が得意」とか「基礎体力なし」とか、そういう傾向が個人ごとにあるのであれば、全員の距離を計算してみると、誰と誰の運動傾向は似ているのかといったことが見えてきそうです。

　ただし、距離は計算できでも、そのあとどうやってグループに分けていけばよいのでしょうか。距離がいくつ以下なら「近い」として一つのグループにするのか、いくつ以上なら別グループにするのか。そもそも全体は何グループに分かれるのか。どうやってグループを作っていけばよいのかわからないですよね。

似た者同士の見つけ方 ……………………………………………

　そんなときによく用いられるのが**クラスタリング法**です。クラスタ（cluster）には「集団」「群れ」といった意味があり、クラスタリング法は「似た者」を集めて一つの集団にする方法のことを指します。「似た者」とは「距離が近いデータ」を表し、全体をいくつかの集団（クラスタ）に自動的に分けてくれます。全体をいくつの集団に分けるかは、事前に人間が指定したり、クラスタの大きさ（どれくらい似ていない〔距離が遠い〕データまで「似ている」として一つのクラスタに入れるか）の最大値を事前に決めておくといった方法で指定されます。クラスタリング法は非常に古くから研究されており、いくつもの方法が提案されています。ここでは代表的な方法をいくつか紹介することにしましょう。

6-2

k-means アルゴリズム

　まず、**k-means アルゴリズム**（日本語では「k 平均法」と呼ばれることもあります）は、クラスタへの分割とクラスタ中心の再計算を繰り返すことで適切なクラスタを作成していく方法です。この方法では、クラスタの数（データ全体をいくつに分割するか）は事前に指定しておく必要があります。アルゴリズムの概要は以下のようになります。ここでの k は事前に指定されたクラスタ数です。

(1) 全データの中から適当に k 個のデータを選択し、それらを各クラスタのクラスタ中心とする

(2) 以下のステップを繰り返す
　　(a) すべてのデータに対し、k 個のクラスタ中心との間の距離を計算し、一番距離の近かったクラスタに分類する
　　(b) あるクラスタに分類されているすべてのデータの平均値を計算し、その値を新しいクラスタ中心の値とする
　　(c) もし、すべてのクラスタ中心の値が 1 ステップ前と同じ（すべてのデータが 1 ステップ前と同じクラスタに分類されていれば、当然平均値であるクラスタ中心も同じ値になる）であれば、ここで計算を終える。そうでなければ、ステップ (a) 以下を繰り返す

　k 個のクラスタ中心を平均値（英語で「mean」）を計算しながら作成していくことから k-means 法と呼ばれています。この方法では、最初に適当に決めたクラスタ中心を使ってクラスタへの分割を行い、その結果からクラスタ中心を計算し直すということを繰り返しています。ですから、各クラスタ中心が「最初にどこにあるか」によって、最終的に得られる結果が変わる可能性があります。最初のクラスタ中心は「適当に」決められるわけなのですが、これらが全体の分布の中でどのような位置にあるのか、

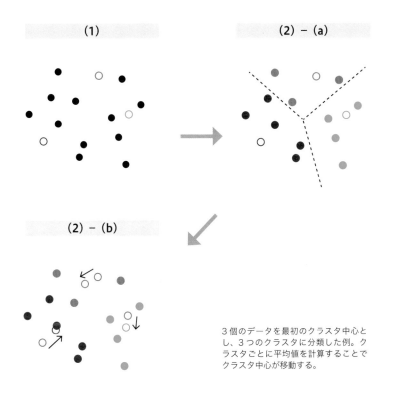

3個のデータを最初のクラスタ中心とし、3つのクラスタに分類した例。クラスタごとに平均値を計算することでクラスタ中心が移動する。

また密集しているのか、バラバラなのかといったことでも結果が変わります。ではどうやって「適切な」最初のクラスタ中心を見つければよいのでしょうか。

　それには決まった答えはありません。乱数で選んでみたり、一つ選択したらそれから一番離れたデータを選んでみたり、いろいろなやり方があります。また、クラスタ数が少ないと比較的安定して（どのように最初のクラスタ中心を選んでも同じような結果になる）クラスタリングが行えると言われていることから、最初は2個のクラスタ中心を選択して k-means 法を行い、出来上がったそれぞれのクラスタをまた k-means 法で2つに分割するというように、だんだんクラスタの数を増やしながら k-means 法を何回も繰り返す、といった方法も提案されています。

k-means 法の限界 ・・

　k-means 法は古くから非常によく使われていますが、限界もあります。この方法が使えるためには以下の 2 つの条件が必要です。

・すべての 2 点間の距離が定義されていること
・点の集合に対して平均が定義されていること

　点の間の距離が定義されていないと、ある点をどのクラスタに属させるのかといった計算ができません。逆に距離であれば、ユークリッド距離に限らず、どのような距離を定義してもかまいません。

　もう一つの条件は「平均」が定義されていることです。平均が定義されていないと、新しいクラスタ中心を計算することができません。でも、平均が定義できないとはどういうことでしょうか？　通常の n 次元空間にある点であれば、座標値が定義されているわけですから自然と平均も計算することができます。しかし、例えば「クラスの生徒たちを 3 つのクラスタに分割してみよう」というときは？

　例えば、クラスの中には仲良しグループがあったりします。はっきりとメンバーが決まっているわけではないんだけど、なんとなくいつも一緒にいるとか、そんなふうに単純ではない関係を「見える化」してみようという話です。ここでは k-means 法を利用しますので、まずはクラス全員について何らかの距離を定義します。この距離は「仲が良いと近い」といった数字にする必要があるので、お互いの仲良し度をアンケートによって決めることにします。実際にどんなアンケートにするのかは難しいですが、仮にそうやって距離が定義できたとしましょう。距離が定義されると、適当にクラスタ中心の人を 3 人選べば、その他のメンバーが「3 人のうち、誰に一番近い〔誰と一番仲良し度が高い〕か」を計算することができるので、誰のクラスタに分類されるかということが決まります。次にすること

は、あるクラスタに属している人たちの「平均」を計算して、その結果を新しいクラスタ中心となる人にするのですが、さて、「平均の人」とは何でしょうか？

　クラスタに属しているのは人間なので、全員加算するとか人数で割り算するとか、そんなことはできるわけがありません。仮に「AさんとBさんの近さは3である」とわかっていたとしても、ではAさんとBさんの平均は？と言われると、何をどうしてよいかわかりませんよね。このままでは、新しいクラスタ中心を決めることができませんからk-means法は使えないということになります。

　こうした場合に対処するため、「平均」を拡張する方法がよく用いられています。例えば「クラスタ内のすべてのメンバーとの間の距離の平均値（こちらは距離の平均ですから普通に計算ができます）が一番小さい人」を「平均」の人として新しいクラスタ中心にするといった方法です。こうすれば、新しいクラスタ中心となる人を選ぶことができます。「すべてを足して個数で割る」と計算できる「平均」でなくても、それらしい「平均」の定義（クラスタ中心の定義）をすることができれば、k-means法は実行することが可能です。

　そう考えていくと、いわゆる座標値を持っているようなデータじゃなくても、いろいろな物に対してk-means法を使えることがわかると思います。「距離」と「平均」の定義をどうするか、みなさんもいろいろな集団に対してk-means法でクラスタリングすることができないか考えてみてください。

階層型クラスタリング

階層型クラスタリングは一気に複数のクラスタを作成するのではなく、徐々にクラスタを作成していく方法で、個々のデータを近いものからまとめてグループにしていく方法を**凝集型**、逆に全部を1つのグループにしておき、それを分割することでクラスタを作成していく方法を**分割型**と呼びます。ここでは凝集型の方法を紹介しましょう。

まず、すべてのデータをバラバラにし、それぞれ1つのデータで1つのクラスタというように考えます。当然、クラスタ数はデータ数に等しいですよね。その後、すべてのクラスタ間の距離を計算します。クラスタ間の距離といっても、すべてのクラスタはそれぞれ1つだけデータが所属しているわけですからデータ間の距離と同じです。その後、一番距離が近いペアをくっつけて1つのクラスタにします。これで総クラスタ数は1つ減ることになります。

この後、やはりすべてのクラスタ間の距離を計算します。このとき、クラスタ内に1つしかデータがないクラスタ同士の距離であれば、先ほどと同じようにデータ間の距離を計算するだけなのですが、1つだけクラスタ内に2つのデータがあるクラスタがあります。このクラスタと他のクラスタ（こちらは1つしかデータが入っていません）の間の距離はどう計算すればよいのでしょうか。

この「クラスタ間の距離」をどう定義するかでいくつかの方法があります。代表的な定義は以下のようなものです。

● 最短距離法：片方のクラスタに属しているデータと、もう片方のクラスタに属しているデータのすべての組み合わせについて距離を計算し、その一番小さな距離をクラスタ間の距離と定義する

- 最長距離法：片方のクラスタに属しているデータと、もう片方のクラスタに属しているデータのすべての組み合わせについて距離を計算し、その一番大きな距離をクラスタ間の距離と定義する
- 群平均法：片方のクラスタに属しているデータと、もう片方のクラスタに属しているデータのすべての組み合わせについて距離を計算し、それらの平均値をクラスタ間の距離と定義する
- Ward 法：それぞれのクラスタに属するデータの**偏差平方和**（分散にデータの個数を掛けたもの）と、2 つのクラスタを統合して 1 つのクラスタとしたときの偏差平方和を計算し、その増分を距離と定義する。各クラスタの偏差平方和を S_a、S_b、1 つのクラスタにしたときの偏差平方和を S_{ab} とすると、その増分値は $S=S_{ab}-(S_a+S_b)$ と計算される

　もちろん、6-2 で説明した k-means 法で利用したように、あるクラスタに属しているすべてのデータの平均（クラスタ中心）を計算できるのであれば、そのクラスタ中心間の距離をクラスタ間の距離として定義してもかまいません。

　こうしてクラスタ間の距離を定義し、あとは一番距離の近いクラスタ同士を 1 つにまとめるということを繰り返し、だんだんクラスタの数を減らしていきます。最終的には、全体で 1 つのクラスタとなりますが、そこまで実行せずに途中で打ち切ると、自分の好きなクラスタ数にすることができます。

デンドログラム

　凝集型の階層型クラスタリングでは、バラバラの状態から始めて（途中で止めなければ）最後は 1 つのクラスタになります。その様子を図に表したのが**デンドログラム**です。図 6.1 はデンドログラムの例です。この例では 10 個のデータ（$x_1 \sim x_{10}$）を一番下に並べ、どのデータ同士がどういうタイミングで 1 つのクラスタに統合されていったのか、トーナメント表のように表現しています。

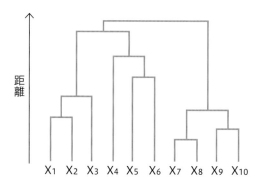

図 6.1：デンドログラムの例

　このとき、縦軸は距離を表します。2 つのクラスタが統合されたときのクラスタ間距離の高さに横線を引くということを行います。ですから、デンドログラム中で横線が高いところにあれば、「距離が遠いクラスタ同士を統合した」ということになります。この図を見ると、どのクラスタ同士は近かったのか、どのクラスタ同士は遠かったのかということがわかりますので、あまり遠いクラスタ同士を統合する前で統合を終了する、つまり適切なクラスタ数を決めるということができます。

はたして傾向は見つかったのか？ ‥‥‥‥‥‥‥‥‥‥‥‥‥‥‥

　クラスみんなのさまざまな運動テストの数値を集めて、いろいろクラスタリングをしてみたところ、以前からなんとなく感じていた結果が出たようです。例えば、「走るのが早い人は基礎体力もある」とか「球技がうまい人は水泳が苦手」とか、本来そうしたことは「個人の感想」であり、本当がどうかはわかりません。ただ、各種データを集めていろいろ分析をしてみると、そうしたことが本当っぽい（もしくは単なる勘違いだった）ことがわかります。どんなデータを集めてきてどんな分析を行えばよいのか、みなさんも日頃から感じている「個人の感想」を「仮説」として、それが正しいか検証してみてはいかがでしょうか。もしかしたらそれをきっかけに、最近流行りのデータサイエンティストを目指すことになるかもしれません。

重回帰分析による予測

この章で学ぶ主なテーマ

重回帰分析とは
重回帰分析の方法
変数の種類
モデルのよさと変数選択

「身近なモノやサービス」から見てみよう！

　みなさん、占いは好きですか？　星占いや血液型占い、姓名判断に神社のおみくじと、世の中にはさまざまな占いがあります。「あんなの、どうせ当たらない」と思っていても、ついつい気にしてしまうのが占いです。今日の運勢や将来の自分がどうなるのか、やっぱり気になりますよね。

　人類にとって、未来を予測することはいつの時代も大きな関心事でした。占いも非常に古くから行われ、かつては動物の骨や亀の甲羅を火であぶり、そこに表れるひびの形から未来を占っていたこともありました。ひび自体は偶然得られる形状にしかすぎませんが、そこに昔の人は神のお告げを感じていたのでしょう。時代が下ってくると、過去の経験や観測結果から法則を発見し、それを未来の予測に使うようになってきます。例えば占星術は、太陽や月、星の動きを観測し、そこから未来を予測していきます。星の動きが個人の運命にどう影響を与えているのかはともかく、月の満ち欠けや海の満潮と干潮の周期、また日食や月食の予測など、今で言う天文学の知識が使われてきました。未来を予測したいという人類の願いは、こうした学問も発展させてきたのです。現代では、次の満潮時刻はいつになるのかといったことは、その発生メカニズムに関する物理法則が解明されているので確実に予測することができます。

でも、世の中の現象すべてが物理法則に従っているわけではありませんよね。例えば、じゃんけんをするとき、相手が何を出すかということは方程式を解けばわかるわけではありません。物理現象のように完全に予測できるわけではないのです。かと言って、完全にランダム（どの手も $\frac{1}{3}$ の確率で出現する）というわけでもなく、実際にはその人のクセとか、直前に何の手を出していたかといった要因で偏りがありそうです。そこで、「この人はどんなときにどんな手を出していたか」ということを調べ上げ、少しでも勝率を上げるべく相手の出す手を予測します。このように物理法則（方程式）に従わない現象について、過去のデータを収集して、そこから未来を予測することは非常によく行われています。みなさんも、どうやったらじゃんけんの勝率を上げることができるか、ぜひ相手のクセを見つけてみてください。

　ちなみに、筆者が経験的に感じているノウハウを一つお教えしましょう。5人とか10人とか、大人数でじゃんけんをするときはだいたい1回では勝敗が決まらず、「あいこ」を繰り返すことになりがちです。このとき、最初にどの手を出すかはみんな考えるのですが、続けて何を出すかについてはあまり考えておらず、なんとなく出していることが多いと思われます。その結果、「あいこ」になって2回目に出す手は1回目と同じ手になることが多いのです。ですから、1回目にみんながどんな手を出したかを憶えておき、そこで勝てる手を2回目に出すようにすると勝てることが多いような気がします。科学的な根拠は何もありませんが、機会があればやってみてください。

7-1

重回帰分析とは

　クラスみんなの運動能力を分析していたAさんですが、次は来週行われる校内ミニトライアスロン大会の順位予想をすることにしました。さて、トライアスロンの成績を予想するにはどのようなデータを使えばよいでしょうか。トライアスロンだから水泳の早さは重要です。一方で、マラソンはあるけど50m走のタイムはあまり持久力とは関係なさそうな気もします。基礎体力という意味では反復横跳びの回数はどうだろう…？　これが「100m走」であれば50m走の記録を見れば、だいたい予想ができそうです。でもトライアスロンの順位には何の記録が参考になるのでしょうか？　意外な能力も関係しそうで、どうもはっきりしたことはわかりません。

過去の入賞者を調べてみる ……………………………………

　何の記録を見ればいいか悩んでいたAさんはあることをひらめきました。「過去の入賞者がどんな人だったのか、その人たちの運動能力テストの結果を調べたらいいじゃないか！」。確かにそれを見れば、トライアスロンが強い人はどんな運動能力に優れているのかがわかりそうです。そして同じような能力を持つ人が今年も入賞すると予想するのはとても理にかなっています。データを集めたAさんは、次に前章で作った運動能力に関する12次元空間の中で過去の入賞者たちがどのクラスタに入るかを調べ出しました。そうすれば、入賞者と同じような運動能力を持った人たちをピックアップすることができます。でも、これだと「同じような人」をピックアップすることはできますが、どの運動能力がトライアスロンに有効なのかはなんとなくの傾向しかわかりません。また、ピックアップした人たちの中で誰が優勝しそうかといった細かい予想も難しそうそうです。もっとはっきりと、運動テストの記録とトライアスロンのタイムを直接結びつけてくれるような方法はないだろうか…？

　そこで登場するのが**重回帰分析**です。これはなかなかの優れ者で、さくさくと未来予測をしてくれます。この重回帰分析で重要なのが**目的変数**と**説明変数**です。目的変数は予測したい値、今回の場合ならトライアスロンのゴールタイムとなります。一方、説明変数は目的変数を予想するために使うデータ、つまり 50m 走の記録とか反復横飛びの回数とか、そうした数字ですね。つまり重回帰分析とは、説明変数の値から目的変数の値を予測するものとなります。

　では、どうやって目的変数の値を予測するのでしょうか。重回帰分析で使うのは非常に簡単な数式です。ここでは、N 個の説明変数を使って目的変数の値を予測することを考えましょう。説明変数を $x_i(1 \leq i \leq N)$、目的変数を y とすると予測式は式（7.1）のようになります。

$$
\begin{aligned}
y &= a_0 + a_1 x_1 + a_2 x_2 + \cdots + a_N x_N \\
&= a_0 + \sum_{i=1}^{N} a_i x_i
\end{aligned}
\qquad \text{式（7.1）}
$$

　ここで a_i は適当な定数です。つまり、目的変数 y は、各説明変数の値に適当な係数 a_i をかけ算し、それらを足し合わせると求められるということになります。

　例えばトライアスロンのゴールタイムは、50m 走のタイムを 32 倍し、それに反復横跳びの回数の 12.7 倍と、ソフトボールの遠投記録に -2.4 倍したものを加算した上で 2504.2 を足すと計算できるといったイメージです。本当にこんな式で予測できるのか少し不安になりますが、実はこの重回帰分析では係数 a_i が非常に重要です。この数字をいくつにするかで、正しく予測できるかどうかが決まります。

重回帰分析の方法

では、どうやって係数 a_i の値を決定するのでしょうか。そこで使われるのが**機械学習**という考え方です。機械学習とは、ひと言でいうと「データを集めてきて、そこからパターンや法則などを自動で学習させる方法」です。予測のルール（例えば「トライアスロンのタイムは水泳のタイムを10倍すると予測できる」といったような法則）を人間が考えるのではなく、機械が勝手に発見してくれます。ただし、そのためには数多くのデータ（実際のトライアスロンのゴールタイムとその人たちの運動能力テストの結果）が必要です。こうした数多くのデータを見て、どのデータでも合いそうなルールを自動で見つけてくる、それが機械学習です。この機械学習の考え方は非常に広い概念で、重回帰分析のような古い方法から最新の人工知能で使われている方法まで、すべて「機械学習の一種」ということになります。

係数の決定方法 ……………………………………………………

それでは、具体的に重回帰分析において、どうやってルールを発見するのか見ていきましょう。重回帰分析においては、適切な係数（a_i）を決めることがルールを発見することになります。トライアスロンの記録の予測ができるような係数がわかれば、例えば「50m走のタイムを32倍し、それに反復横跳びの回数の12.7倍と、ソフトボールの遠投記録に-2.4倍したものを加算した上で2504.2を足すことでトライアスロンの記録を予測できる」といったルールを発見したことになります。

では、どうやったら係数を決めることができるでしょうか。そこで使われる考え方が**最小二乗法**です。まず、去年の入賞者1名のデータを持ってきます。係数 a_i の値を適当に決めておき、入賞者の説明変数の値を式（7.1）に代入すると、目的変数の予測値 $\hat{y}$ が計算できます。一方、この人のトライアスロンのゴールタイム y はわかっているわけですから、こ

れらの差（y− ŷ）が予測誤差ということになります。

　重回帰分析では、この予測誤差が 0 になるように係数 a_i の値を決めていきます。ただ、これだけだと、去年のある一人の入賞者の予測はできるけど、他の人の記録が予測できるのかわかりませんよね。ですから、1 つだけのデータを使うのではなく、数多くの人たちのデータを入力し、そこから得られた予測誤差がすべて 0 になる（誰のデータを使っても予測誤差が 0 になる）ような係数の値を決めることにします。

　しかしながら、数多くの人たちのすべてデータに対して予測誤差が 0 になる、そんな万能な係数は存在するのでしょうか？　もちろん、完璧に予測できる（予測誤差がすべて 0 になる）かどうかはデータによりますが、一般的にはそうしたことはまずできません。ですから、「すべてのデータに対して予測誤差を 0 にする」のではなく、「すべてのデータに対する予測誤差の総和がなるべく小さくなる」ように係数を決めていきます。なお、予測誤差（y− ŷ）はプラスにもマイナスにもなる値ですから、単純に総和をとると、プラスの誤差とマイナスの誤差が相殺されて（予測がうまくできていないにもかかわらず）0 に近い値になってしまうということも考えられます。そこで 5-1 で説明した分散の計算と同じように、予測誤差を 2 乗し、その値の総和である以下の式がなるべく小さくなるように係数 a_i の値を決めていきます。

$$\sum_{k=1}^{N} \left(y_k - \hat{y_k} \right)^2$$

簡単な実例を一つ ･･･

　それではここで、簡単なデータを使って未来予測をやってみましょう。表 7.1 のような成績表があったとします。さて、E さんの物理の成績を予測することができるでしょうか？　重回帰分析を使って、数学、英語、そ

れぞれの点数に適当な係数をかけ算して、固定の数字と一緒に加算したときに物理の点数になるようにすればいいですね。つまり、数学、英語、物理の点数をそれぞれ S_m、S_e、S_p とすると、$S_p=a_0+a_1S_m+a_2S_e$ という計算式が A さんから D さんの全員で成り立つような a_0、a_1、a_2 を決めればよいことになります。

氏名	数学	英語	物理
A さん	30	40	35
B さん	70	90	100
C さん	80	50	90
D さん	40	60	55
E さん	50	80	？？？

表 7.1：テストの点数の例

　予測誤差の 2 乗和が最小になるような係数 a_i は、正しくは連立方程式を解くことで求めることができます。なぜそれで解けるのかまではここでは説明しませんので、興味のある人は調べてみてください。今はいろいろな数字を試して見つけてみましょう。答えは $a_0=-15$、$a_1=1$、$a_2=0.5$ となります。ここでは完璧に予測ができる（予測誤差が 0 になる）ような数字でやってみました。A さんから D さんまで、物理の点数は $S_p=-15+S_m+0.5S_e$ という式で計算ができます。ということは、E さんの物理の点数は「75 点」です。このように、いくつかの説明変数に対して適切な係数を決定し、目的変数の値を予測するのが重回帰分析です。ちなみに、重回帰分析において説明変数が一つだけ、つまり $y=a_0+a_1x_1$ と表すことができるものを特に**単回帰分析**と呼びます。

変数の種類

　トライアスロンのゴールタイムを精度よく予測するため、過去何年もの記録を集めていたＡさんですが、ふとあることに気がつきました。いくつかの年だけ不思議とゴールタイムが遅いのです。もちろん年によって参加選手は違いますから、たまたま早い人がいたり遅い人がいることはあります。でも、入賞者全員が遅い年があったりするのには何か理由がありそうです。気になったＡさんは体育の先生に聞いてみました。すると、その年は小雨が降っていて気温も寒く、みんな走りにくかったことがわかりました。また別の年は、逆に晴れすぎて日差しが強く、選手がバテ気味だったそうです。結局、よいタイムを出すためには「曇り」がベストであることがわかりました。優勝タイムを予想する上で天気も重要な情報ということを知ったＡさんですが、そのことをどうやって重回帰分析の式に入れればいいのか、また難問が生まれてしまいました。

いつわりの変数 ……………………………………………………

　ひとまず毎年の大会の日の天気を調べたＡさんは、それをどうやって重回帰の式に入れるか悩んでいます。気温であれば数字で表せますから、説明変数の一つに加えてもいいでしょう。しかし「晴れ」とか「曇り」はどうすればいいのか…。「$x_i =$ 晴れ」のように説明変数に入れようとしても「晴れ ×3」が計算できるわけではありませんので無理ですよね。

　この「天気」のように数字では表せない説明変数のことを**質的変数**と呼びます。一方、今までの説明変数のような数字で表現できるものを**量的変数**と呼びます。量的変数はそのまま式に代入すればよいのですが、質的変数はそうはできません。そこで使われるのが**ダミー変数**です。ダミー変数はその名のとおり「いつわりの変数」です。量的変数ではないのだけど、まるで量的変数のように質的変数を表現する変数ということになります。具体的には、例えば「天気」の種類が「晴れ」「曇り」「雨」の3種類だ

とすると、2つのダミー変数を準備します。仮にダミー変数を d_1、d_2 とすると以下のようになります。これで3種類の天気を表現できます。

　　晴れ：$d_1=1, d_2=0$　　曇り：$d_1=0, d_2=1$　　雨：$d_1=0, d_2=0$

　もっと種類があるときもやり方は同じです。質的変数がとる種類の数から一つ減らした数だけダミー変数を用意し、一つのダミー変数だけ1、あとは0となるように値を設定していきます。なお、一つの状態だけはすべてのダミー変数を0と設定します。あとは、今までと同じように重回帰式を作ります。目的変数が y、説明変数のうち量的変数が x_i、ダミー変数が d_i とすると次のような式を立てることができます。ここで、a_i、b_i は係数、N は量的変数の個数、M はダミー変数の個数です。あとは最小二乗法で係数の値を決定すれば終わりです。

$$y = a_0 + \sum_{i=1}^{N} a_i x_i + \sum_{i=1}^{M} b_i d_i$$

　ここでダミー変数の個数を一つ減らす理由は、減らさないと**多重共線性**と呼ばれる状態になり、推定結果があやしくなるということが知られているからです。詳細は説明しませんが、なくてもよいダミー変数を入れることで本来とは違う、例えば本来関係がない変数に対して非常に大きな係数の値が割り当たってしまう、といったような推定が行われる可能性があるというイメージでしょうか。ダミー変数だけではなく、量的変数でも非常に関連の深い変数が複数ある（例えば、今日の数学のテスト結果と昨日の数学のテスト結果）場合は、この問題が生じる可能性が高くなります。実際に重回帰分析を行うときは、何を説明変数として使うかといったことも検討する必要があります。

変数同士の関係の深さ ……………………………………………

　ちなみに、先ほど説明した「非常に関連の深い」ことを**相関が高い**と表

現します。例えば、今日の数学のテスト結果と昨日の数学のテスト結果を
見てみたとき、今日の結果が高い生徒は昨日の結果も高い、逆に今日の結
果が低い生徒は昨日の結果も低いといった関係があると言えます。この「相
関が高い」状況について、どれくらい相関が高いかを表す指標が提案され
ています。それを**相関係数**を呼び、以下の式で計算されます。

$$r = \frac{\displaystyle\sum_{i=1}^{N} (x_i - \bar{x})(y_i - \bar{y})}{\sqrt{\displaystyle\sum_{i=1}^{N} (x_i - \bar{x})^2 \sum_{i=1}^{N} (y_i - \bar{y})^2}}$$

　ここで、x_i と y_i は関連を計算したい変数の値（i 番目の生徒の今日のテ
スト結果 x_i と昨日のテスト結果 y_i）、N は各変数のデータの個数（生徒の
数）です。この相関係数は最大で 1、最小で−1 になります。相関係数が
1 であれば、2 つの変数には完璧な相関がある（片方の変数の値がわかれ
ば、もう一方の値は計算で算出可能）ということを意味します。一方、相
関係数が−1 のときは全然関係ないかというとそうではなく、1 のときと
同じく完璧な相関があることになります。

　相関係数が−1 のときは**負の相関**があると表現します。相関係数が 1 の
とき（このときは**正の相関**があると言います）との違いは、正の相関があ
るときはある変数の値が大きければ、もう一つの変数の値も大きい、逆に
ある変数の値が小さければ、もう一つの変数の値も小さいという関係にあ
ります。一方、負の相関があるときは、ある変数の値が大きければ、もう
一つの変数の値は小さい、逆にある変数の値が小さければ、もう一つの変
数の値は大きいという関係にあります。なお、2 つの変数に関係がないと
きの相関係数は 0 になります。つまり、2 つの変数にどれくらい関係が
あるのかは、相関係数の絶対値を見て、1 に近ければ関係が深い、0 に近
ければ関係は薄いということになります。

7-4
モデルのよさと変数選択

　天気の情報も組み込んで、過去何年分かのデータから重回帰式を推定し、ようやくなんとか今年の大会の結果を予測することができました。過去の実際のデータから予測しているので、人間の「勘」よりは確かだと思いますが、本当に正しく予測できているのかどうか少し不安です。

予測のよさを測る

　最小二乗法を使うと、データの予測誤差が一番小さくなるように係数を決定してくれます。でも「一番小さくなる」といっても、ほぼ完璧に予測できているのか、それとも予測精度は悪いけど、その中でも一番「まし」な係数に決めているだけなのかわかりません。どれくらい正しく予測ができているのかを確認する方法は予測誤差を計算してみることです。ただ、予測誤差が 0 なのであれば、「完璧に予測できている」ことはわかりますが、例えば予測誤差が 23 だったときはどうでしょうか。予測誤差がいくつ以下ならよいのか、それは予測する目的変数の値によっても変わります。例えば、10 と予測してほしいところが 18 と出てきたら、かなりずれているように思います。でも、2,000 と予測してほしいところに 2,008 と出てきたら、かなりよい予測のように思えますよね。つまり、予測誤差がいくつ以下ならよい、という統一した基準は作りにくいのです。

　そこでよく使われるのが**決定係数**です。これは、予測誤差が目的変数のばらつきに対してどの程度なのかといった観点から計算される値で、0 から 1 の間の値をとります。決定係数が 1 に近ければ近いほど、よい予測をしているという意味になります。ですから、重回帰分析をしたときには、決定係数を計算してみて、どれくらいよい予測をしているのかということを判断することが必要です。

予測のよさを判断する上での注意点 ……………………………

しかし、「決定係数が 1 に近ければ、よい予測をしている」と単純に判断してはいけません。いくつか注意すべき点があります。一つは、説明変数の個数と推定に用いたデータ数の関係です。極端な話として、重回帰式の係数を決めるために、たった 1 つのデータを利用したとしましょう。ここでは、説明変数が 2 個あったとします。このときの重回帰式は $y=a_0+a_1x_1+a_2x_2$ となります。ここに、1 つのデータ（例えば、$y=4$、$x_1=3$、$x_2=-2$）を代入すると、$4=a_0+3a_1-2a_2$ という式が得られます。さて、この式を満たすような係数 a_0、a_1、a_2 はいくつでしょうか？

少し考えただけでも、いろいろあります。例えば、$a_0=0$、$a_1=0$、$a_2=-2$ とか、$a_0=1$、$a_1=1$、$a_2=0$ とか。$a_0=4$、$a_1=0$、$a_2=0$ なんてのでもいいですね。方程式が 1 つで変数が 3 つありますので、いわゆる「不定」の状態になり、解は無数にあります。このような解のうち、どれかひとセットを適当に選べば、「完璧に目的変数を予測できている」ことになります。しかしこれはデータが 1 個だけだから予測できただけで、適当に係数を選べばよいなんて、これで確実に「よい予測ができている」とは言えません。

では、データが 2 個だったらどうでしょうか。この場合は式が 2 本できます。変数は 3 個ですから、これも不定です。データが 3 個あれば不定ではなくなりますが、この場合は連立方程式を解くと解が 1 つに定まります。どんなデータであっても、連立方程式を解けば完璧に目的変数が予測できてしまうわけですが、これでしっかり予測できていると言えるのでしょうか。ここでは 3 つのデータについては完璧に予測できているわけですが、4 つ目のデータに対しても同じように予想できるかはわかりません。

つまり、データの数が説明変数の数＋ 1 までであれば、どんなデータ

であっても完璧に予測できてしまいます。このように、データ数が少ない、もしくは説明変数の数が多いときは、決定係数が1に近くても本当に予測できているかわかりません。そこで、データの数や説明変数の数も考慮に入れて決定係数を補正した**自由度調整済決定係数**というものが使われます。こちらであれば、データの数が少ないことで見かけ上、「よい予測ができている」となることを避けることができます。

未知との遭遇 ・・

もう一つ注意すべきは、決定係数でわかる「予測のよさ」は、あくまでも準備したデータに対しての予測のよさであるということです。今回準備したデータは、過去何年分かの入賞者のデータです。数を多く集めることで、いろいろなタイプの人のデータが入ることになり、結果的にいろいろなタイプの人のゴールタイムを予測できることになります。

でも、集めたデータの中には入賞していない（下位でゴールした）人たちのデータは入っていません。ということは、こうした運動が比較的得意ではない人たちのゴールタイムは予測できない（かもしれない）ということになります。準備したデータが大量にあり、入賞しなかった人たちも含めてさまざまなタイプの人のデータが混ざっていればよいのですが、そうではない場合は、準備したデータに含まれないタイプのデータに対しては予測がうまくいかないということになります。

こうした状況を**過学習**と呼びます。偏ったデータだけからモデル（重回帰分析の予測式）を推定すると、その偏った状況に過度に適応し、そうしたデータに対してはよい予測をします

が、違うタイプのデータに対しては極端に予測性能が落ちるということが起こり得ます。モデルを推定するときは、こうしたことが起きないようにデータの数をなるべく多く、また偏らないように収集することが必要です。

どの説明変数が必要なのか ･･････････････････････････････････････

「よいモデル」とは、目的変数をなるべく誤差なく予測できるモデルです。そのためには予測に役立つ説明変数が必要になります。目的変数と関係ない説明変数ばかり使っても、誤差なく予測できるわけがありません。でも、どの説明変数が役立つのかなんてよくわかりませんよね。さらに最近では「機械学習のよいところは人間が今まで気がつかなかった関連性をデータの中から探し出してくれることである」なんて話もあったりして、ますます説明変数を選ぶのが難しくなってしまいます。

そうしたことの解決策として、「関係なさそうな説明変数でもとりあえず全部選んでしまう」という方法があります。もし目的変数の予測に関係なければ、自動的にその説明変数の係数 a_i がほぼ 0 になってくれるはずです。だから、関係ありそうなものから一見関係がなさそうなものまで、全部説明変数として使ってしまえばよいという考え方です。この方法は大量のデータがあればよいのですが、そうではないと過学習に落ち入りやすくなってしまいます。ですから、あまりよい考え方とは言えません。それではどうすればよいでしょうか。結局のところ、「いろいろやってみる」しかありません。極端な話、n 個の説明変数の候補があれば、その中から 1 個だけ使う（n 個の説明変数があれば、そのうちどれを使うかは n 通りの可能性があります）とか、2 個選択して使う（n 個の説明変数から 2 個選択して使うとすると、その組み合わせの数は $_nC_2$ 通りになります）とか、そうしたすべての可能性*について実際に重回帰分析を行ってみて、その予測結果からよさそうなものを選択するという方法をとればよいわけです。

しかし、それだと組み合わせの数が多すぎて大変です。例えば、説明変

数が 10 個あったら 1,023 通り、20 個あったら 1,048,575 通りの組み合わせができます。これは確かに大変ですね。そこで、全部の組み合わせをやってみるのではなく、説明変数の数を徐々に増やしたり減らしたりしながら最適な組み合わせを探していく、といったことが行われています。例えば、まずは n 個の説明変数のうち、1 つだけ減らしたパターン（全部で n パターンあります）で推定し、その性能を見てみます。その結果、n パターンのうち、一番推定性能がよかったパターンを採用し、そこからさらに説明変数を 1 つ減らしたパターン（今度は n–1 パターンになります）で推定してみるといったことを繰り返す方法です。この方法だと、なるべく推定性能がよい中でどこまで説明変数を減らせるか、といったことを探索することができます。

　こうした方法を使っても、全パターンを試しているわけではないので必ずしも最適なものが見つかるというわけではありません。その結果、同じデータに対して、説明変数をどう増やしたり減らしたりして探していくかといった方法の違いによって、違う答え（最適な説明変数の組み合わせ）が得られるといったことも起こります。このように「未来」を予測するのはなかなか大変なのです。

＊可能性の総数は $\displaystyle\sum_{r=1}^{n} {}_n\mathrm{C}_r$ 個になります。

Chapter

購買データの分析と推薦

この章で学ぶ主なテーマ

同時購入商品に注目した分析
購入者に注目した分析

「身近なモノやサービス」から見てみよう！

　動画投稿サイトで動画を見ていると、次の「おすすめ」を自動的に表示してくれます。多数の動画の中から面白そうな動画を選んでおすすめしてくれるので、ついつい見てしまいます。その結果、どんどん動画を見ていき、気がついたら何時間も経っていた…なんて経験はみなさんにもあるのではないでしょうか。

photobyphotoboy / Shutterstock.com

　こうしたサイトではいろいろおすすめをしてくれるわけですが、これがまたいいところを突いてきます。たとえ世間で流行していても、自分の趣味にあわなければ見ないわけですが、ちゃんとこちらの趣味を考えて興味を持ちそうなものばかりおすすめしてくれます。

　こうした「おすすめ」のシステムは、過去の視聴履歴からそのユーザの趣味を把握しています。今までどのような動画を見たのかということだけではなく、リピートして見たのか、それとも途中で見るのを

止めたのかといったことも踏まえて、どんな動画が好きかを推測し、それにあった動画を推薦します。動画投稿サイトからすれば、できるだけ多くの動画を見てほしいわけで、いかに見てくれそうな動画を推薦するかが重要になってくるわけです。

　これと同じようなことが、ニュース配信サイトでも行われています。ニュース記事を簡単に読めたり、重要なニュースをプッシュ通知してくれたりするニュース配信サイトは非常に便利で、世の中の動きを知るために使っている人も多いと思います。でも気をつけなければいけないのは、こうしたサイトのいくつかは、どのニュース記事を表示するか、見ている人によって変えているのです。

　この人は過去にこんなニュース記事を読んでいたというデータをもとに、どんなジャンルのニュース記事が好みなのかを推測します。その結果に従って、プッシュ通知したり、上位に表示したりするニュース記事を選定するのです。結果として、ニュース記事がよく読まれるようになり、それに伴って広告収入も増えることになります。

　興味のあるジャンルのニュースが上位に表示されてそれを読む、ということ自体は何も問題があるわけではありません。ただ、上位に表示されたニュース記事を読むだけで、今世の中で起きている重要なニュースはすべて読んだと誤解してはいけないということです。上位には表示されていない（自分にとって興味のない）ニュース記事にも重要なものがあるかもしれません。「えっ、このニュース知らないの？」と言われないためにも、興味の有無に関係なくニュース記事を表示するサイトや、テレビのニュース番組、新聞など、複数のメディアをチェックするようにしましょう。

同時購入商品に注目した分析

　スーパーに行くと、野菜の隣に鍋つゆが置いてあったり、お肉の隣に焼肉のたれが置いてあったりします。本来はそれぞれ調味料のコーナーに並べておく商品なのですが、お客さんが一緒に買いそうな物の近くにも並べておくのは、売り上げを伸ばすための巧みな戦略と言えるでしょう。では、何と何を並べておくと効果があるのでしょうか？　いろいろな料理を想定して、その料理で使いそうな食材を並べていけばいいわけですが、料理といっても無数にあるし、お客さんが実際に作ってくれそうな料理を提案しないと意味がありません。いったいどの料理が人気なのか、選ぶのが難しそうです。さらに同じ食材でも別の料理に使われることもあるわけで、例えば鶏肉の隣にはからあげ粉を置くのがいいのか、それともシチューのルーの方がいいのか、はたまた簡単に「鶏肉とカシューナッツの炒め物」が作れるレトルト商品の方がいいのか…。何をどう置いておくかは店長や売り場責任者の経験と勘で決めてもよいのですが、やはりそこは客観的なデータにもとづいて決めたいところです。そこで使われるのが**バスケット分析**と呼ばれる方法です。これは、実際にどの組み合わせを買っていったお客さんが多かったかということを調べる方法の一つになります。

鶏肉の場合 ……………………………………………………………………

　ここでは例として、鶏肉と関連のある商品が何なのか分析してみましょう。まず、大量の売り上げデータから鶏肉を買った人のデータだけを抽出します。それを見ると、からあげ粉を一緒に買っているケースが多そうです。このように、ある商品（この場合は鶏肉）を買ったお客さんが同時に何を買っているのかということを調べると、隣に何を並べておけばよいかがわかります。そこで使われる指標が**信頼度**です。この信頼度は、ある商品αを買ったお客さんのうち、別の商品βも同時に買ったお客さんがどれくらいの割合でいるかという値です。商品αを買ったお客さんの人数をN_α、商品αと商品βを同時に買ったお客さんの人数を$N_{\alpha\beta}$とすると、信頼度

$C(\alpha, \beta) = \frac{N_{\alpha\beta}}{N_\alpha}$ と計算できます。さまざまな商品の組み合わせについてこの値を計算していけば、どの商品の組み合わせが同時に購入されているかということがわかります。

　ただし、ここで注意しなければいけないのが、一般的に $C(\alpha, \beta)$ ≠$C(\beta, \alpha)$ になるということです。$C(\alpha, \beta)$ は「商品αを買ったお客さんのうち、商品βも同時に買ったお客さんの割合」でした。一方、$C(\beta, \alpha)$ は「商品βを買ったお客さんのうち、商品αも同時に買ったお客さんの割合」となります。どちらも両方同時に買ったお客さんの割合だから同じように思えますが、よく見ると分母が違います。このときの分母は「何に対する割合」なのかということです。

たこ焼きの場合 ……………………………………………………

　この分母の違いがわかる例として、たこ焼きを考えてみましょう。自宅でたこ焼きを作る場合は必ずたこ焼き器が必要です。ですから、初めて作るときはまずたこ焼き器を買います。そして、たこ焼き器を購入した人の多くはたこ焼き粉も購入するはずです。つまり、たこ焼き器とたこ焼き粉に関する信頼度は C（たこ焼き器, たこ焼き粉）≈ 1 となりそうです。

今度は逆向きの信頼度である C（たこ焼き粉, たこ焼き器）を考えてみます。これは、たこ焼き粉を買ったお客さんのうち、同時にたこ焼き器を買ったお客さんの割合です。たこ焼き器はその都度購入するものではないので、2回目以降はたこ焼き器は買わず、たこ焼き粉だけを買うことになります。ですから、C（たこ焼き粉, たこ焼き器）≈ 0 となりそうです。つまり、同じ2つの商品の間の信頼度でも、どちらを「分母」にするかで答えが全然違ってきます。そのため、こうしたことを意識するために信頼度を C($\alpha \Rightarrow \beta$) と表記することもあります。

意外な組み合わせ

売り上げデータをいろいろ分析をしていると、ときおり「おむつとビール」（かさばるおむつを買いに来た父親がついでにビールも買うという説）のような意外な組み合わせが見つかることがあります。一見、新たな発見に興奮しそうですが、たとえ信頼度が高かったとしてもこれをそのまま信用してもいいわけではありません。信頼度以外にも大事な指標を計算する必要があります。その一つが**支持度**です。これは注目している組み合わせがどれくらい一般的なのかを表します。支持度は S(α, β)= $\frac{N_{\alpha\beta}}{N_t}$ と計算します。N_t は売り上げデータの総数です。すべてのお客さんの人数ということですね。つまり、支持度は「全お客さんの中でこの組み合わせを同時購入したお客さんの割合」を表します。

この支持度が低ければ、そもそも注目している商品を2つ同時に購入したお客さんはほとんどいないということになります。マニアなお客さんの趣味嗜好は、他のほとんどのお客さんには意味がない（買おうとはしない）ということになります。ですから、ある程度支持度が高い組み合わせの中から信頼度の高い組み合わせを探さないといけません。

さらにもう一つ注意する点があります。それは単独でよく売れる商品は、他の商品と同時購入されやすいということです。例えば鶏肉は、単独でもよく売れる商品だとしましょう。この場合、例えばトイレットペーパーを

購入したお客さんの多くが（トイレットペーパーとは関係なく）鶏肉を購入しているということになります。結果として「鶏肉とトイレットペーパー」の組み合わせは信頼度も高く、売れ筋商品だから支持度も低くはなりません。このように、単独での売れ筋商品はいろいろな商品と一緒に購入されることが多いため、見た目の信頼度が高く出る傾向があります。

　こうした誤りを避けるために**リフト値**という指標が用いられています。リフト値は、その商品を買っている人の割合に対して信頼度がどの程度高いのかということを表す指標です。計算式は以下のようになります。

$$L(\alpha, \beta) = \frac{C(\alpha, \beta)}{\dfrac{N_\beta}{N_t}} = \frac{\dfrac{N_{\alpha\beta}}{N_\alpha}}{\dfrac{N_\beta}{N_t}}$$

　ここで、分母の $\frac{N_\beta}{N_t}$ は「全お客さんの中で商品 β を購入した人の割合」、分子は信頼度 $C(\alpha, \beta)$ ですから「商品 α を購入した人の中で商品 β を購入した人の割合」です。ですから、仮に商品 α と商品 β に関係がないならば、分子も分母も同じような値になる（例えば全お客さんのうち5割が商品 β を購入しているのであれば、商品 α を買った人たちもそのうち5割くらいは商品 β を買っている）はずです。結果的にリフト値は1に近い値になります。一方で、商品 α と商品 β に関係がある（商品 α を購入したお客さんたちは特に高い割合で商品 β も購入している）場合は、分母に比べて分子の値（信頼度）が高くなるのでリフト値は大きな値になってきます。ですから、信頼度だけではなく、リフト値も大きな値になっていることが重要なのです。

購入者に注目した分析

　さて、野菜売り場に鍋つゆを置いておくことが有効なことは売り上げデータからも確かなことがわかりました。しかし、鍋つゆといってもいろいろな種類があります。よせ鍋や水炊き、ちゃんこ鍋や豆乳鍋、キムチ鍋の他にもカレー味や塩味、それから味噌味まで。いっそのことすべて並べることができればいいですが、野菜売り場のスペースには限りがあるため、いくつかに絞らなければなりません。この場合、「人気の味」を選ぶのが常套手段ですが、もっと「その人」の好みを反映できないでしょうか。最近では画像認識技術が進化していますので、「お客さんの顔をカメラで撮影して誰なのかを自動で判定し、その結果によって置いてあるディスプレイに表示するおすすめ商品を変える」なんてことも（やろうと思えば技術的には）できそうです。

類は友を呼ぶ ・・・

　ここでは仮に、野菜売り場にそのようなカメラとディスプレイを置いたということにしましょう。画像認識によって個人を特定できれば、その人が過去に何味の鍋つゆを購入したかを調べ、同じ味をおすすめすればいいだけです。では、過去に鍋つゆを購入したことがないお客さんに対してはどうすればよいでしょうか？　こうした場合に使える方法の一つが**協調フィルタリング**です。簡単に言うと、趣味が同じ人を見つけ、その人が購入した物をおすすめするという方法です。

　あるお客さん（A さん）におすすめする鍋つゆを決める場面を考えてみましょう。この A さんは鍋つゆを購入したことがなく、そのため購買履歴から鍋つゆの好みを予想することはできません。しかしこの人は、初めての来店ではなく、鍋つゆ以外のいろいろな物を過去にこのスーパーで購入したことがあります。そこで、売り上げデータの中から A さんがよく購入している商品をピックアップし、それと同じ物をよく購入している他

◆ 協調フィルタリングの考え方

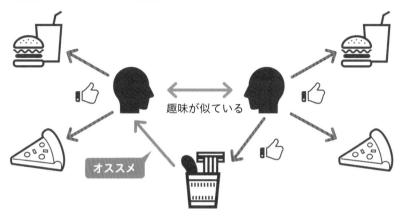

趣味が似ている

オススメ

のお客さんを探します。そうしたお客さん（Bさん）がいれば、AさんとBさんは好みが同じ、つまり「趣味があう人」ではないかと予想できます。そこで、このBさんが過去に鍋つゆも購入していれば、同じ物をAさんにもおすすめするというわけです。

　同じ商品を購入している人であれば、趣味が合う（この場合は味の好みが同じ）と考えてもよさそうです。でも、まったく同じ商品を購入している人は当然のことながらなかなか見つかりません。そこで、それなりに傾向が似ていれば、「趣味があう人」ということにするのですが、傾向が似ている人はどうやって見つけてくるのでしょうか？

お客さん同士の距離を定義する ……………………………………

　そこで登場するのが5-2で扱った距離定義です。テストの点数の代わりに購入履歴のデータを使って「近いかどうか」を測ります。例えばスーパーにあるすべての商品について、あるお客さんが過去に購入したことがあるかどうかを○、×で表します。同じように別のお客さんについても○、×で表し、これらがどれくらい似ているかを計算します（表8.1）。このとき、一般に商品の数は膨大なので、ほとんどの商品に×がつくことになるので、2人とも×をつけた商品は除いて、少なくともどちらかが○

をつけた商品の中で、2人とも○をつけた商品の割合を見た方がよさそうです。この割合が高ければ、それだけ「趣味があっている」と言えることになります。このようにお客同士の距離が定義されれば、最も似ている人を探すこともできます。さらにクラスタリング（6章参照）を用いれば、趣味が似ているグループも見つけられそうです。どんな好みのお客さんのグループがいるのか、分類してみるのも面白そうですね。

顧客	商品番号													
	1	2	3	4	5	6	7	8	9	10	11	12	13	14
A	×	○	○	×	○	×	×	×	×	○	×	×	×	×
B	○	×	×	×	○	×	×	○	×	×	×	○	×	×
C	×	○	○	×	○	×	○	×	×	×	×	×	×	×
D	×	×	×	○	×	×	○	○	×	×	×	○	×	×
E	○	×	○	×	×	○	×	×	×	×	×	×	○	×

表 8.1：お客ごとの購入履歴の例。この表から客 A と客 B は似ていないが、客 C とは似ているといった判断ができる

　この距離定義だと、一度だけ買った人とリピーターの区別ができません。もしそのような区別したければ、○と×ではなく、購入頻度の値を使う方法が考えられます。結局、どんな距離定義がいいのかは使っているデータの性質によります。何を求めたいのか、どんなお客さんを「近い」と定義したいのか、そうしたことを考えて決めていく必要があります。また、お客さんの性別や年齢、いつも何時頃に来店するか、といった情報も活用できるかもしれません。このように、データの分析をはじめとするデータサイエンスはとても奥が深いものです。新たな発見に向けて、みなさんもぜひいろいろやってみてください。

Chapter

9

機械学習による認識

この章で学ぶ主なテーマ

人工知能と機械学習
データの準備
古典的な機械学習アルゴリズム
認識結果の評価

「身近なモノやサービス」から見てみよう！

　スマートフォンを使うとき、最初にパスワードを入力したりしますよね。こうした作業なしで使える設定にしていると、紛失したときに誰でも使えるようになってしまって非常に危険です。必ず設定をしておき、悪用されないようにしておきましょう。

　でも、いちいちパスワードを入力しなければならないのは結構面倒ですよね。そこで最近は指紋や顔画像で個人を識別し、パスワードを入力しなくても済む機種が出てきました。これなら入力の手間は省けるし、悪用もされないので安心です。

　こうしたユーザ認証方法は「生体認証」と呼ばれています。顔画像や指紋の他にも、目の虹彩（いわゆる黒目の部分）や手のひらの静脈の形、音声などが認証要素として使われています。パスワードを忘れてしまっても問題ありません。たとえ鍵を持っていなくても「顔パス」で玄関の扉が開くことができます。

　ただ、本当に自分と認識してくれるのか、他人が自分になりすますことはないのか、心配になりますよね。現在の技術ではまだ100%安心とまでは言えないようで、生体認証に加えてパスワードの入力も必要とするものや、他人を間違えて許可しないように設定しておき（その代わり本人であっても他人であると拒否される割合が増える）、もし本人が拒否されたら別の手段（物理的な鍵など）で認証できるようにするなど、いろいろな方法が採用されています。

　こうした生体認証が増えてくると、必ず悪用しようとする人も増え

てきます。例えば、顔認証システムがあったとき、どうすれば他人に
なりすますことができると思いますか？　そうです、その人の顔写真
を使えばいいですよね。顔認証システムのカメラに顔写真を見せれば、
簡単に鍵が開けられそうです。

　こうした方法に対して、システム側も対策をとっています。例えば、
顔画像を普通のカメラではなく、3次元の情報がとれる3Dカメラで
撮影します。そうすれば、顔写真は平面なので一発でなりすましだと
いうことがわかります。では、本人にそっくりなマネキン人形を作っ
た場合はどうでしょうか？　これなら3Dカメラでも区別がつきませ
ん。でも、そんな場合は顔の表面温度を測ってみるという方法があり
そうです。また、システム側から「笑ってください」と表情を指定し
てみるという方法もあります。

　もちろん、体温が人間と同じくらいの人形や、表情を変化させるこ
とができる人形を開発すれば、なりすましができそうです。結局のと
ころ、こうした技術はだます方と守る方のいたちごっこです。みなさ
んも、どうすればなりすましを防げるのか、いろいろ考えてみてくだ
さい。

9-1
人工知能と機械学習

　前章で、架空の設定として「画像認識」の技術に触れましたが、現実の世界でもこの技術は日進月歩です。グーグル社が「AI（人工知能）が数多くの画像の中からネコを見分けることに成功した」と発表したのが2012年。実は同じ時期に、人間の顔を認識することにも成功したのですが、話題になったのはネコの方でした。ところで、ここで言う「ネコを見分ける」とはいったいどういうことを指すのでしょうか？

認識するための特徴量

　人間が何かを認識するときには、見たものの中から「その物が何なのか」を判断するために重要な部分に注目しています。例えば、何の動物かを判断するために、その動物の特徴が表れている部分（ゾウなら鼻が長い、鳥なら羽がある、など）を見ています。このように「その物が何なのか」をよく表していると思われる部分を**特徴量**と呼びます。何を特徴量にするのか（どこに注目するか）は、何を認識するのか、何と何を区別するのか、によって変わります。例えば、ゾウとキリンを区別するのであれば、鼻の長さや首の長さを見ればよいですね。でも、同じゾウでもアフリカゾウとインドゾウを区別するためには別の場所に注目する必要がありそうです。

　このように、認識する対象によって適切な特徴量を選択する必要があります。以前は、「どの特徴量が有効か」をいろいろ調べる研究が盛んでした。しかし近年では、「どの特徴量を使うか」ということも含めて機械学習によって自動で決定することが行われています。

機械学習とは？

　人間もそうですが、人工知能も最初から「知能」を持っているわけではありません。人間だって生まれたときからネコを見分けられるわけではないですよね。「これがネコだよ」と教えられて、だんだん「ネコとはこう

いう動物」と理解していくわけです。だから、一度もネコを見たことがない人はネコを見分けることができません。これは人工知能も同じです。ネコの写真（や他の動物の写真）をたくさん見ることで、ネコとそれ以外の動物を見分けることができるようになります。このように、大量のデータを使って「知能」を獲得することを**機械学習**と言います。「ネコとは何か」「どこを見ればよいか」といったことを人工知能の開発者が教える（プログラミングする）ことはせず、大量のデータを与えるだけで勝手に学習してくれます。機械学習は学習するための大量のデータは必要になりますが、機械が「勝手に」学習してくれるところに大きな利点があります。

　ここで注意してほしい点は、人工知能は大量のデータを見て学習をするわけですが、与えられた大量のデータを「そのまま」憶えているわけではないということです。大量のネコの写真を憶えておけば、それらの写真と同じ動物を見たらネコだとわかりそうなものですが、この方法は現実的ではありません。同じネコでも少し顔の向きが変われば、別の見え方をします。たとえ同じ姿勢だったとしても、大人のネコや子供のネコ、太ったネコや痩せたネコなど、見え方は少しずつ変わるので「憶えていた写真と同じだったらネコ」という基準では正しくネコだとは判断できないのです。

　人工知能が行う機械学習のすごいところは、先ほども言ったように「どこに注目すればよいのか」「どんな特徴があればネコなのか」ということを自動的に学習することです。その結果、違う姿勢や見え方のネコであっても、注目するところが同じであればネコであると判断できるようになります。こうした学習時に含まれていなかったデータに対しても正しく認識できる能力を**汎化能力**と呼びます。機械学習ではこの汎化能力が高いことが重要になります。

9-2

データの準備

さて、機械学習に使う「大量のデータ」はどのようにして集めるのでしょうか。人工知能を学習させようとすると、5枚や10枚といった数では当然足らず、100万枚や1,000万枚といった桁の数が必要になります。こうした大量のデータを収集するために利用されるのが、いわゆる「ネット検索」です。「ネコ」と検索すれば、大量のネコの画像を簡単に集めることができます。著作権の問題がありますが、こうしたデータ収集の方法が一般的になったことも、人工知能の研究や開発が盛んになった要因の一つです。ただし、単にデータを集めてくるだけでは機械学習には使えません。そこで必要になるのが**データの洗濯**です。この「洗濯」は「選択」の間違いではありません。別名、**データクレンジング**（data cleansing）や**データクリーニング**（data cleaning）と呼ばれる方法で、集めたデータの整備を行います。

例えば、「ネコ」と検索して得られた画像にもいろいろあります。種類や姿勢が違っているのは問題ありませんが、イヌと一緒に写っているとか、中には「ネコ」と書かれた文字が写っているものがあるかもしれません。こうした画像は機械学習に使えませんからデータからは消しておきます。他にも、事前に加工が必要なケースがあります。ネコが小さく写っている場合はネコの部分だけ拡大したり、傾いた画像は地面と水平になるように

角度を変えたり、逆光でネコが暗く写っていれば色の調整をする必要があるかもしれません。

こうしたことは画像だけではなく、さまざまなデータを収集するときにも必要になります。例えば、日本語の文章を大量に集める場合は表記ゆれ（同じ単語で漢字やひらがなが混在）や文字表記（旧字体の使用や全角／半角文字の不統一）といった違いを統一する必要があります。他にも収集するデータの種類によってさまざまな作業を行う必要が出てくるのです。

学習用のデータを準備する上で、もう一つ重要な作業が「正解を与える」ということです。例えば、ネコが写っている写真には「これはネコです」という正解を与える必要があります。人工知能はデータそのものに加えて正解（**教師信号**とも呼ばれます）が与えられないと学習を行うことができません。ですから、データを用意するときにはあわせて正解も正しく付与する必要があります。

このようにしてデータの選別や加工、正解の付与などを行い、「使えるデータ」にします。この作業は地味で手間もかかるわけですが、機械学習を成功させるためには非常に重要なものです。近年では、こうした作業を行ったあとのデータ（**データベース**や**コーパス**と呼ばれます）を一般公開してくれていることも多く、自分で収集せずにこうしたデータベースを活用して機械学習を行うことも広く行われています。

学習されたモデルの評価 ……………………………………………

機械学習に使うデータはなるべく「大量」にあった方がいいと説明しましたが、集めたデータを「すべて」使ってはいけません。これは出し惜しみをしているわけではなく、一部の学習に使わなかったデータにはまた別の役割があるのです。機械学習の目的は、学習で得られたモデルが対象物を「正しく認識をすること」です。特に、学習に使ったデータには含まれていない新しいデータに対しても正しく認識できるか（汎化能力）が重要

ということは先ほど述べました。では、この汎化能力が高いかどうかはどうやって測ればよいでしょうか。これは簡単です。学習時に使わなかったデータを使って性能評価してみればよいのです。そのために、集めたデータを全部学習に使用するのではなく、一部とっておきます。

　通常は、手持ちのすべてのデータを2つに分け、片方でモデルの学習を行います。その後、得られたモデルの汎化能力を測るため、もう片方のデータをモデルで認識させてみます。これらのデータの正解はわかっているわけですから、モデルの出力が正しかったかを計算すれば、汎化能力がどの程度なのか測ることができます。なお、学習のために利用されるデータは「学習データ」「訓練データ」「トレーニングデータ」などと呼ばれます。一方、汎化能力を測るために利用されるデータは「評価データ」や「テストデータ」と呼ばれます。

交差検証法

　先ほど、手持ちのデータを2つに分けると言いました。当然ですが、そうすると学習データの数は減ります。でも、学習データはなるべく多い方がよいモデルが学習できます。これはなかなか悩ましい問題です。もちろん、手持ちのデータが十分な量あれば問題ありませんが、もし手持ちのデータが十分ではない場合はどうすればよいでしょうか。

　そこで考え出されたのが**交差検証法**（cross-validation）です。この方法では、手持ちのデータからほんの少しだけデータをとってきて評価データにします。

　極端な例として、1つだけデータをとってきて評価データにした場合を考えてみましょう。残りのデータはすべて学習データとします。こうすると、数多く（ほぼすべて）のデータを使ってモデルを学習することができます。では、この状態で正しく汎化能力を測ることができるでしょうか。たった1つの評価データでは、たとえデータを正しく認識できたとしても、

モデルが汎化能力を持っていたからなのか、それともたまたまそのデータ
だけ認識できただけで本当は汎化能力は低いのかわかりませんよね。そこ
で、先ほどとは別のデータを1つだけ取り出し、残りのすべてのデータ
を学習データとしてモデルの学習をやり直します。学習データの方は前回
とほぼ同じ（1つのデータだけ違う）なわけですから、おそらくほぼ同じ
モデルが学習で得られます。それに対して、前回とは違う評価データで評
価をすることになるので、前回の評価結果とあわせて2つのデータで評
価をした結果が得られることになります。これと同じことを手持ちのデー
タの数だけ繰り返します。例えば手元に1,000個のデータがあったとす
ると、ほぼ同じモデルが1,000回学習され、それに対して1,000個の評
価データに対する結果が得られます。

　実際には、1,000回も学習と評価を繰り返すのは大変です。ですから、
例えば1,000個のデータを100個ずつ10グループに分け、そのうち1
グループ（100個）を評価データ、残りの9グループ（900個）を学習デー
タとしてモデルの学習と評価を行います。これを評価データにするグルー
プを変えながら10回繰り返します。こうすると、学習データの個数は
900個に減ってしまいますが、モデル学習の回数は10回に減らすこと
ができます。こうした方法を特に「10-fold cross-validation」と呼び
ます。k個のグループに分割したのであれば、「k-fold cross-validation」
ですね。ちなみに、最初に取り上げた評価データとして1つだけ使う（デー
タ数だけ学習と評価を繰り返す）方法は「leave-one-out cross-
validation」と呼ばれます。手持ちのデータを何個のグループに分割する
かは、実験全体でどれくらい時間をかけてもよいかによって決めます。グ
ループ数が多い（1つのグループ内のデータ数が少ない）ほど信頼できる
結果が得られますが、時間がかかるということになります。

9-3
古典的な機械学習アルゴリズム

　機械学習は最近発明されたものではなく、非常に古くからいろいろな方法が提案されてきました。ここではよく使われている2つアルゴリズムについて見ていきましょう。

k-NN 法 ……………………………………………………………

　一つ目は **k-NN 法**（k nearest neighbor algorithm）です。「nearest neighbor」は「お隣さん」「ご近所さん」という意味です。言い換えれば、「ご近所さんたちの意見で決めよう」というのがこの方法です。すべての学習データには、それぞれ何の動物が写っている画像なのか正解がわかっています。何が写っているのかわからない評価データ（未知データ）があったときに、そのデータに「似ている」学習データを探し出します。その学習データがネコの写真であれば、未知データもネコである、と結論を出してしまうのが k-NN 法です。ただ、最も「似ている」データ1個だけを見て判断してしまうと、たまたま違う動物の画像があったときに間違えてしまうかもしれません。k-NN 法も、一つの「似ている」学習データだけではなく、いくつかの「似ている」学習データを元にして識別します。具体的には、未知データに対して似ている方から k 個の学習データをとってきてそれらの多数決をとります。こうすれば、偶然1個だけ似ている（けれども違う動物の）学習データがあったとしても、他の似ている学習データが正しい動物であれば、正しい答えを出すことができます。

　なお、未知データと学習データの間の距離について、何をもって「似ている」とするのかは、どんな特徴量を抽出するのか、特徴量同士をどんな距離尺度を使って距離を計算するのか、によって変わってきます。この部分をうまく設計すると、性能がよい識別をすることができます。k の値としていくつぐらいが適切かは学習データの量やデータの特性によって変わりますので、その都度「よさそうな」値に設定する必要があります。

　この方法の利点は、なんと言っても簡単なことです。とにかくデータ間の距離さえ計算できれば、どんな問題にも使えます。一方で、学習データをすべて憶えておく必要があるのが欠点です。学習データの量は多い方がよいですが、そのすべてを憶えておき、距離計算を行わなければいけないので、時間がかかったり、大きな記憶容量が必要だったりします。

決定木

　k-NN 法のように学習データをそのまま使うのではなく、分類する物の特徴を分析して効率的に表現しようとする方法が**決定木**です。例えば、ある動物の画像があったとき、「その動物は 4 本足ですか？」や「全身が毛で覆われていますか？」といった質問があり、それに対して「はい」か「いいえ」で答えていくと、最後に「それはネコです」といった識別結果を出してくれます。このやり方を決定木と呼びますが、特に複雑なことはしていません。質問の答えによって「yes」か「no」で分岐し、次の質問に行くだけ。最後までたどりつくと、そこに答えが書いてあります（図 9.1）。これは 3-3 で紹介した**木構造**と同じです。特に決定木は質問のたびに 2 つに分岐するので「二分木」になります。

決定木の学習方法

　では、どんな質問をどういう順番で並べて決定木を作ればいいのでしょうか？　決定木も機械学習で構築できますので、学習データさえ集めてくれば、自動で適切な質問を選び、勝手に作ってくれます。それでは、どのようにして決定木を構築するのか、簡単に見てみましょう。まずは学習データを準備します。大量の学習データに、それぞれ正解のラベルがついている必要があることはこれまでと同じです。それに加えて、決定木での学習では質問文候補も必要になります。質問文候補とは、決定木で使われる可能性のある質問文のことです。「その動物は 4 本足ですか？」「全身が毛で覆われていますか？」といった質問文をたくさん準備しておく必要があります。決定木の学習とは、こうして準備された数多くの質問文の中から、順次適切な質問文を選んでいって木の形に並べるという作業になります。

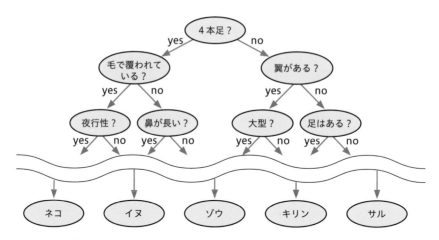

図 9.1：決定木の例

　なお、ここで注意する点は、すべての質問文が明確に「yes」か「no」で回答できる形式であることです。例えば、「足は何本あるか？」という質問には yes でも no でも答えられません。また「その動物は可愛いか？」という質問は答える人によって回答が変わる可能性があるので駄目です。「首は長いか？」なんて質問は一見よさそうですが、何 cm 以上なら「長い」と言えるのかが曖昧ですので、このままでは使えません。その場合、「首が 50cm 以上あるか？」という形に変えます。

　次に、どうやって適切な質問文を選択していくのでしょうか。まず、適当に 1 つの質問文を選んできます。その質問文に対する答えによって、すべての学習データが 2 つに分けられます。そのときに、分かれ方の「よさ」を計算します。同じことをすべての質問文について行います。最終的に「よさ」が一番高かった質問文を採用することにします。では、ここでの「よさ」とは何でしょうか。例えば、10 種類の動物の画像があって、それぞれの画像にどの動物が写っているのかを認識する決定木を考えてみましょう。このとき、質問を繰り返していくと、10 種類の動物がどんどん分かれていき、最終的に一番下の段まで来たときにはそれぞれ 1 種類の動物しかないという状態にできればよいはずです。ですから、「よい」

最初の質問とは、その質問の結果、5種類ずつのグループに綺麗に分かれるようなものということになります。

　逆に、同じ種類の動物が分かれてしまうような質問は「よい」とは言えません。例えば、「全身が写っているか？」とか「寝ている画像か？」という質問は、写っている動物の種類を判定するためにはほとんど意味がないでしょう。このようにして、最も「よさ」が高かった質問文を採用し、それに対する答えによって全学習データを「yes」グループと「no」グループに分けます。その後、それぞれのグループに対して同じことを繰り返します。「yes」グループに属している学習データについて、最も「よい」感じに2つに分ける質問文を探し、それに従ってさらに2つに分けます。「no」グループも同様に行います。ここまでで全体は4つのグループに分かれました。最終的には1つのグループに1種類の動物しかいないようにします。これで決定木の完成です。

　ただ、本当に1つのグループに1種類の動物しかいないところまで分割するのは大変です（どうしても分離できないデータがあるかもしれないし、全体のグループ数がすごく大きくなってしまうかもしれない）。そのため、実際にはある程度分割が進んだらそこで打ち切るということがよく行われています。その場合、分割を打ち切ったあとにそれぞれのグループ内に属する学習データを調べ、最も多かった動物をそのグループの動物として定義しておきます。

　このようにして決定木の学習が終わると、未知の写真が入力されたときは、順番に質問文に解答しながら「木」をたどっていくだけで何の動物かがわかることになります。すべての質問文は必ず2つの答えのどちらかで答えられるわけですから、どんな写真であっても必ずどこかのグループにたどりつくことになります。どんな写真が入力されたとしても「よくわからない」といった答えは絶対に出力されないのです。

9-4

認識結果の評価

　機械学習で得られたモデルの性能を評価するには、未知データに対して
どれくらい正しく認識できるかを測ります。具体的には、手持ちのデータ
の一部を評価データとして学習には使わずにとっておき、そのデータを識
別させてみて正解できるかどうかを判定すればよいですね。このとき、認
識率（識別率とも言います）A は以下の式で計算されます。

$$A = \frac{N_c}{N_c + N_f}$$

　ここで、N_c は正しく識別できたデータの個数、N_f は識別を誤ったデー
タの個数です。当然ですが、$N_c + N_f$ は評価データの総数になります。こ
の認識率 A が高ければ、それだけ正解するデータが多かったということ
ですから「よい性能を持つ」ということになります。通常はこの認識率を
見て、モデルの性能を評価します。

これくらいは出せて当然 ……………………………………………………

　でも、ちょっと待ってください。実はこの数字だけ見て判断してしまう
と、思わぬ落し穴にはまるときがあるのです。その一つは認識率の最低値
です。例えば、ネコかイヌのどちらかが写っている画像が入力されたとき
に、それがネコなのかイヌなのかを自動で判定するモデルを考えてみま
しょう。このとき、モデルが出力する答えはネコかイヌの2種類ですから、
画像なんか見ずに「当てずっぽう」に答えを出しても確率的には半分当た
るということになります。認識率で言うと 50% です。意外と高い数字だ
と思いませんか？　一方、100種類の動物の画像を認識するモデルがあっ
たとすると、当てずっぽうでは $\frac{1}{100}$、つまり 1% しか当たりません。この
モデルで認識率が 50% ならば、「そこそこの性能」といってもよさそう

です。つまり、単に認識率の数字だけ見て、その印象で議論してはいけないのです。

このように、何もせずに当てずっぽうで答えを出力したときの認識率を**チャンスレート**と呼びます。入力された物が何なのか自動判定するようなモデルの性能を評価するときは、チャンスレートが何%なのかを必ず確認し、それと比べてどうなのかということを考える必要があるのです。

ずるいモデル？

もう一つ注意しなければならないことが「評価データの偏り」です。例えば10種類の動物を識別するモデルの認識率が80%だったとしましょう。これは、評価データのうち8割は正解するけど、2割は不正解だったということを表します。ここから想像できることは、例えばネコの写真を10枚入力すると、そのうち8枚は正解するけど、2枚は失敗するということですね。それがイヌの写真であってもゾウの写真であっても同じ。さて、それは本当でしょうか？

ここで暗黙のうちに仮定されていることは、「評価データに含まれている各動物の写真は同じくらいの枚数である」ということです。つまり、評価データが100枚あるとすると、そのうち10枚はネコ、10枚はイヌ…ということですね。でも、そうしたことは保証されているわけではありません。もし、インターネットから「動物」と検索して集めた画像であれば、ネコやイヌは多いけど、カバやゾウは少ないかもしれません。どの動物も同じ枚数ということはないのです。

では、そうした枚数が偏ったデータで評価をするとどうなるでしょうか。例えば、100枚の評価データのうち、80枚がネコだったとします。この場合、とても簡単に認識率80%を達成できるのですが、どうすればよいかわかりますか？　鋭い人はすぐに気づいたはずです。実際には何の役にも立ちませんが、何が入力されても「ネコ」と答えるモデルなら認識率は

80%になります。かなり高性能なモデルに思えますよね。このように誤った印象を与える結果となったのは、評価データの中身が偏っていることが原因です。ですから、評価データとしてどのようなデータを使うのか、性能評価をするときには気をつけなければなりません。また、このモデルの場合は、個々の識別結果（すべてのデータに対して「ネコ」となっている）を見れば、すぐに実際には使いものにならないことに気づくことができます。最終的な評価は認識率で行うにしても、その数字を見るだけではなく、個々の認識結果をチェックするという姿勢が必要です。

ネコだけ得意 ………………………………………………………

　このように、機械学習によるモデルの性能を評価するときは、認識率を計算するだけではなく、その内訳を分析することがそのモデルの性能や特徴を知る上で非常に重要です。たとえ評価データに偏りがなかったとしても個々の識別結果を詳しくチェックしましょう。

　特に調べておきたい特徴の一つは、このモデルはどの動物の識別が得意なのかということです。認識率が80%のモデルがあったとしても、すべての動物について80%の認識率なのかはわかりません。例えば、ネコやイヌの画像はほぼ100%認識できるけど、カバは50%くらいしか認識できないというモデルかもしれません。モデルによって得意、不得意があるかもしれないので、それを調べる必要があります。どうやって調べるかは簡単ですね。評価データのうちネコの画像だけ取り出して、その認識率を計算すればよいです。こうして計算された認識率を**再現率**と呼びます。「正解がネコである画像のうち、ネコと正しく認識できた割合」です。これを各動物について調べていけば、このモデルはどの動物の識別が得意なのかがわかります。

　ただし、仮に「ネコ」に対する再現率が100%だったとしても「ネコ」については完璧に識別できる、とまでは言えません。再現率は、その定義から、「正解がネコである画像」に対する性能しか見ていません。つまり、

「正解がイヌである画像」に対して、ちゃんと「これはネコじゃない」と判断できるかわからないということです。先ほど出てきたどんな画像であっても「ネコ」と答える（使いものにならない）モデルを考えてみましょう。このモデルは、すべての写真に対して「ネコ」と答えるわけですから、当然正解がネコである画像についてもすべて「ネコ」と答えます。つまり再現率 100%。もちろん他の動物については（すべて「ネコ」と答えるので）再現率 0% になるわけですが、「このモデルはネコの識別だけは得意」と言ってしまってよいでしょうか？　実際は何も識別していないので、そんなことは言えません。つまり、「ネコの識別が得意」と言うためには「正解がネコの画像に対して、ちゃんとネコと答える」ことに加えて「正解がネコじゃない画像に対しては、ちゃんとネコじゃないと答える」ことが必要になるわけです。

識別が得意だと言える条件 ……………………………………………

　そこで用いられるもう一つの指標が**適合率**です。これは「モデルが『ネコだ』と答えたデータのうち、正解がネコであるデータの割合」で定義されます。なんでもかんでもネコと答えるモデルであれば、この割合は小さくなっていきます。ですから、適合率が高いモデルがよいモデルということになります。

　「このモデルはネコの識別が得意」と言うためには、ネコに対する再現率と適合率がそれぞれ高い必要があります。両方とも 100% であれば、ネコの画像に対しては完璧に識別可能ということですね。でも、そんなモデルはめったにありません。一般的に、再現率と適合率との間にはトレードオフの関係があります。片方を高くしようとすると、もう片方が低くなってしまう、「あちらを立てれば、こちらが立たず」の関係にあるということです。

　例えば、ネコかどうか微妙な画像があったとします。これを「ネコである」と判定するか、「ネコではない」と判定するか、2 つの場合を考えて

みましょう。「微妙なデータはネコと判定する」と設定した場合、正解が
ネコである画像のうち、微妙なデータもネコと判定されるわけですから再
現率は上がります。一方で、正解がネコではない画像の中からも微妙なデー
タはネコと判定されるわけですから適合率は下がってしまいます。逆に、
「微妙なデータはネコではないと判定する」とすれば、適合率は上がりま
すが、今度は再現率が下がってしまいます。つまり、「あちらを立てれば、
こちらが立たず」、どちらも「そこそこ」な値になるように設定するしか
ないということになります。

どちらを見ればよいのか ……………………………………………

　再現率と適合率のどちらをより重視するかはその問題によります。例え
ば、生体認証技術がよい例です。スマホにログインする際、パスワードの
代わりに顔を見せたり指紋を読みとらせたりしますが、こうした機能は顔
や指紋の画像から「登録された本人であるか」を判定しています。この機
能の再現率が低い状態だと、「本人であるのに本人じゃないと判定される」
ことが多くなってしまいます。つまりログインできなくなるわけで、これ
では使いものになりません。ということで、普通は再現率が高くなるよう
に設定するわけですが、そうするとトレードオフの関係にある適合率が下
がってしまいます。そうするとどうなるか。「本人であると判定されたも
ののうち、実は本人じゃなかったケースが増える」ということになります。
つまり「他人がログインできてしまった」ということが増えてしまいます。

　両方とも高い技術を使うというのが正しいわけですが、どちらも
100％になる完璧な技術はありません。どこかで妥協する必要がありま
す。例えば、常に持ち歩くため他人が使う可能性が少ないと考えられるス
マホでは再現率を高め（適合率は低め）に、一方、銀行のATMのように
他人に使われてしまうと被害が非常に大きくなるものは適合率を高め（再
現率は低め）に設定するといったような判断が必要になってきます。

一つの指標の方がわかりやすい ·····························

とはいえ、「再現率が 80% で適合率が 65% のモデルと、再現率が 70% で適合率が 75% のモデルのどちらを使いますか？」と言われても困ってしまいますね。結局、どのモデルがよいモデルなのかを判断するときには、一つの指標で表された方がわかりやすいのは確かです。そこでよく使われる「総合的な指標」が F 値（F-measure または F-score）です。この F 値は、再現率と適合率の**調和平均**として定義されます。計算式は以下のとおりです。

$$F = \frac{2}{\frac{1}{R} + \frac{1}{P}} = 2\frac{PR}{P+R}$$

この式で、F は F 値、R は再現率、P は適合率です。この値を用いると、「どちらもそこそこよい」方を選択することができます。例えば、先ほどの例だと、「再現率 80%／適合率 65%」のモデルの F 値は 0.717、「再現率 70%／適合率 75%」のモデルは 0.724 ですから、後者のモデルの方が少しだけよいということになります。一般的に再現率＋適合率の値が同じであれば、両者の数字が近い方が F 値は大きくなります。ですから、F 値が大きなモデルを選択するということは、再現率と適合率がそれぞれ同じくらいの値である（どちらかに偏っていない）モデルを選択するということになります。

ネコは何に似ているのか ·····························

ここまでは「ネコを正しくネコと判定するか、またネコじゃない画像は正しくネコじゃないと判定するか」という点に注目してきました。ここからはさらに細かく見ていくことにしましょう。具体的には、「ネコを別の動物と間違えたとき、何の動物に間違えたか」といったことを分析します。ネコをイヌと間違えることはありそうですが、キリンに間違うことはほと

んどなさそうですね。このように、認識を失敗したデータについて「何に間違えたのか」といった「誤り傾向」を調べることも重要です。そこでよく使われている方法が**混同行列**（confusion matrix）です。縦方向に正解の動物、横方向に認識された動物を書き、どの動物の写真がどの動物と判定されたのかということを表にまとめます（表9.1）。これを見ると、どの動物とどの動物を間違えやすいのかといったことがよくわかるようになります。

　ちなみにこの混同行列において、対角線上にある数字は「正しく認識できたデータ数」になります。ですから、対角線上にある数字をすべて加算し、全体のデータ数で割れば認識率が得られます。また、正解がネコである横一列の数字は「正解がネコであるデータが何の動物と判定されたか」を、縦一列は「ネコと判定されたデータが実は何の動物であったか」を表しているわけですから、正しくネコと判定したデータ数を横一列の数字の合計で割れば再現率が、縦一列の数字の合計で割れば適合率が計算できることになります。

		認識結果				
		ネコ	イヌ	ゾウ	キリン	サル
正解	ネコ	31	16	1	0	2
	イヌ	12	29	5	3	1
	ゾウ	2	1	43	4	0
	キリン	4	0	8	38	0
	サル	8	12	2	1	17

表9.1：混同行列の例

深層学習

この章で学ぶ主なテーマ

ニューラルネットワーク
ニューラルネットワークによる物体認識
ニューラルネットワークの学習方法
代表的なニューラルネットワークの形状

> 「身近なモノやサービス」から見てみよう！

　2022年11月、OpenAIという会社がChatGPTという対話型AIを発表し、世界に衝撃を与えました。それまでの対話システムは、何かを聞くと答えを出すくらいの簡単なやりとりしかできなかったのですが、ChatGPTは質問に対して適切な答えを返してくれるだけではなく、詞や小説を作ってくれたり、悩みについてアドバイスをくれたり、プログラムを書いてくれたりします。こうしたことから「ついに人工知能が完成した！」と話題になりました。

　ChatGPTは、GPT（Generative Pre-trained Transformer）というモデルを利用しています。このモデルは、文章の途中まで入力されたときに、次にどんな単語がくるか、それを予測するモデルです。こうしたモデルは以前から開発されてきましたが、GPTはその規模が非常に大きく、ChatGPTに採用されているGTP-3というモデルでは、そのパラメータ数が約1,750億個もあるのです。

　このすべてのパラメータの値を適切に設定し、どんな文章が入力さ

れても、次の単語を高精度に予測するようにしなければなりません。これを実現するため、実際の文章と次にくる単語を示し、モデルが正しく予測するようにパラメータの調整を行うのですが（これを「モデルの学習」と呼びます）、そのために用いた文章データの総量は570GBもあるそうです。アルファベット1文字は通常1バイトで表現されるので、およそ5,700億文字ということになります。

　このようにして学習されたGPT-3ですが、このモデルはあくまでも次の単語を予測するだけです。ところがこのモデルに対して、例えば「日本語を英語に翻訳してください。猫はcat、犬はdog、鳥は」と入力すると、文章の続きとして"bird"と出力してくれます。不思議なことに「日本語を英語に翻訳してください。猫は」とだけ入力しても、ちゃんと"cat"と出力してくれます。つまり、「日本語を英語に翻訳してください」という指示の意味を正しく理解し、それに従って文章の続きを生成してくれているのです。

　また、「2桁の数字の計算をしてください。48足す76の答えは124です。25足す18は」と入力すると、ちゃんと答えを計算してくれます。あくまでも次の単語を予測するだけのモデルが計算方法まで理解し、正しい答えを出せるなんて不思議ですよね。

　このようなことから「GPT-3は知能を獲得した」と言う人もいます。でも、人間がしているような思考をGPT-3もしているのかと言われると、そんなしくみはモデル内に（明示的には）存在しないわけで、知能を獲得したとするのには抵抗があります。そう考えていくと、一体何ができれば知能を獲得したと言えるのか、そもそも知能とは何か？という疑問が出てきます。意外にもChatGPTという最先端テクノロジーから哲学的な問いが導き出されてしまいました。こうしたことが起こるのも先駆的な技術の面白さですね。

10-1

ニューラルネットワーク

　機械学習について説明するときに必ず登場するのが**ニューラルネットワーク**（neural network）という言葉です。ニューロン（neuron）とは神経細胞のことで、人間や動物の脳内などに存在します。この神経細胞が多数集まって情報を伝達していくことでさまざまな脳活動が行われ、私たちが物を考えたり何かを感じたり、体を動かしたりといったことが実現されていくのです。

　この神経細胞の動きを真似して機械学習のモデルとして使うというのが、ニューラルネットワークの考え方です。人間の脳の真似をすれば、人間みたいに高度なことがいろいろ実現できるのではないかという発想ですね。こうした考えは意外と古くからあり、いろいろ研究されてきたのですが、2010年頃からいわゆるディープニューラルネットワーク（deep neural network：通称DNN）や**深層学習**と呼ばれる方法が次々と開発され、画像認識や音声認識などに活用されてきました。今ではテキストを打ち込めばAIが自動でイラストや画像を生成してくれるサービスまで一般に公開されています。深層学習全盛期、なんでもかんでもDNNが使われていると言ったら少し言い過ぎかもしれませんが、それくらいどこでも使われる技術になりました。

ネットワークは意外と単純 ⋯⋯⋯⋯⋯⋯⋯⋯⋯⋯⋯⋯⋯⋯⋯

　人間の脳というと複雑に思えますが、ニューラルネットワークのしくみは意外とシンプルです。まずニューロンは1つの神経細胞を模擬したものです。このニューロンにはいくつかの入力端子があります。そして、その入力端子にはそれぞれ数字が入力されます。数字が入力されると、入力端子ごとに事前に決められている「重み」と呼ばれる数字とかけ算され、その合計が計算されます。例えば、入力端子が3個あるニューロンを考えてみましょう（図10.1）。それぞれの入力端子にはあらかじめ重みが決

められています。ここでは重みの値を仮に 3、5、−2 としておきましょう。その入力端子にそれぞれ外部から数字が入力されます。例えば 6、−1、4 が入力されたとしましょう。そうすると、ニューロンは入力された数字と重みをかけ算し、それらの合計を求めます。ここでは 3×6+5×(−1)+(−2)×4=5 となります。この計算結果「5」に**バイアス**と呼ばれる定数（例えば 10）を加算し、その答え「15」を**活性化関数**と呼ばれている関数に入力します。

　この活性化関数にもいろいろありますが、例えば y=2x+1 としておきます。この x に先ほどの 15 を代入すると y=2×15+1=31 となり、答えは 31 になります。ニューロンはこの 31 という数字を出力します。

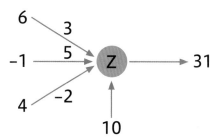

図 10.1：ニューロンが計算する様子

　ニューロンの動きはこれだけです。意外と簡単ですよね。ニューロンの出力計算を数式で表すと、入力される数字を x_i、それぞれの入力端子で定義されている重みの値を w_i、バイアスを b、入力端子の数を N、活性化関数を y=f(x) として、ニューロンの出力 y は次のように表現することができます。やっていることは入力に対して重みをかけ算し、それらとバイアスの総和を計算するだけです。あとは関数に代入して終わり。電卓で十分計算可能です。

$$y = f\left(b + \sum_{i=1}^{N} w_i x_i\right)$$

　このニューロンを多数準備してつなげると、ニューラルネットワークが作れます。あるニューロンの出力を、次のニューロンの入力端子に接続するといったことを行うだけです。1つの入力端子には1つの出力が接続されますが、1つの出力は複数の（別々の）ニューロンの入力端子に接続することができます。例えば、あるニューロンの出力を5つのニューロンの入力端子にそれぞれ入力するといったことが可能です。このようにして、ニューロンを次々接続してネットワークを作っていきます（図10.2）。このとき、ニューロンをいくつか並べた層を作り、それらを積み重ねていくことが一般的です。例えば、ニューロンを3個並べ、1つの層を作ります。その隣りに別のニューロンを5個並べ、次の層を作ります。最初の層にある3個のニューロンの出力を、それぞれ次の層の5個のニューロンの入力端子につなぎます。1つのニューロンの出力が、5個のニューロンの入力端子に接続されたということです。後段のニューロンは前段のすべてのニューロンから出力が接続されますから、入力端子は3個持っているということになります。

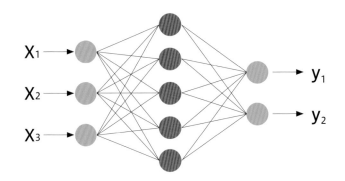

図10.2：ニューラルネットワークの例（バイアスは省略）

　この場合、後段のすべてのニューロンはどれも前段のニューロンの出力を同じように受けとるわけですから、同じ数字が入力されることになります。しかし、それぞれの入力端子に設定してある重みの値がニューロンによって違うので、別の計算が行われ、別の数字が出力されることになりま

す。ニューロンにおいて重みの値は非常に重要なので忘れないようにしましょう。

「ディープ」とは何か

ここまではニューラルネットワークの構造の話でした。ここからはディープニューラルネットワークの説明に移りますが、「ディープ」とはどういう意味でしょうか？　英語だと「深い（deep）」という意味ですが、ここでは「ニューロンの層の数が多い」ことを指します。もともとニューラルネットワークが提案された頃は、ニューロンの層が3層のものでした。これでは比較的単純な問題しか解くことができなかったのですが、これを5層、10層、20層とどんどん「深く」したネットワークが開発され、その性能が飛躍的に向上しました。ネットワークの構造としては何も難しいことはしていないのですが、層の数を増やし、ネットワークの規模を巨大にしたものということです。

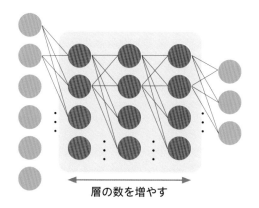

層の数を増やす

ネットワークの規模が大きくなると計算が大変になり、昔のパソコンだと計算時間が非常にかかったりして実行することができませんでした。その後、コンピュータの性能向上と並走する形で、効率的なモデル学習法の開発や学習させるための大規模なデータ収集などが実現されていくようになった結果、近年になってようやく「実際に動く」ディーププニューラルネットワークを作成できるようになったのです。

活性化関数あれこれ ……………………………………………………

　さて、ニューロンの出力計算をするときに活性化関数を使う話をしましたが、なぜそれが必要なのでしょうか。詳しい話はここではしませんが、イメージで言うと、重みとかけ算された値の総和をそのまま出力するのではなく、より使いたい値に変換して出力するためというのが理由です。ここからは、世の中でよく使われている活性化関数をいくつか紹介したいと思います。どんな関数なのか、グラフとあわせて見てみてください。

　どの活性化関数を用いるかは、ニューラルネットワークの形状や解くべき問題によって変わり、いろいろと試されています。今後も「もっとよい」関数が提案されてくるかもしれません。

◆ シグモイド関数
かつてよく用いられていた関数。$0 \leq y \leq 1$ となる。

$$y = \frac{1}{1 + e^{-x}}$$

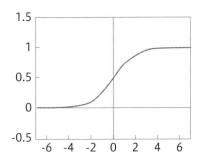

◆ ハイパブリックタンジェント

シグモイド関数に形状が似ているが、−1≦y≦1 であり、原点を通る。

$$y = \tanh(x) = \frac{\sinh(x)}{\cosh(x)} = \frac{e^x - e^{-x}}{e^x + e^{-x}}$$

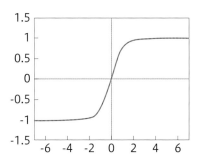

◆ ReLU

近年よく用いられる関数。正の入力はそのままだが、負の入力はすべて
0 となる。

$$y = \max(0, x)$$

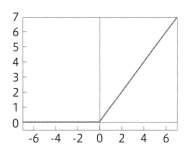

10-2

ニューラルネットワークによる
物体認識

　ニューラルネットワークでは、入力された数字に重みを掛けたり足したりしているわけですが、これがどのようにネコを認識したり、人間とおしゃべりしたりすることにつながるのでしょうか。

　ここでは、動物が写っている画像を入力として、10種類のどの動物なのかを判定するネットワークを考えます。入力の方法もいろいろありますが、今回は単純に画像をそのまま入力するとしましょう。このことを理解するためには、そもそも「画像データとは何か」という知識が必要になります。

画像の正体‥‥‥‥‥‥‥‥‥‥‥‥‥‥‥‥‥‥‥‥‥‥‥‥‥‥‥‥‥‥‥

　画像データは数多くの「点」の集合からできていると聞いたことがないでしょうか。方眼紙のようなマス目に、一つひとつの色で塗っていって全体として何かの絵にするというものです。いわゆる「ドット絵」と呼ばれるものですね。美術の分野で言えば、「点描」という技法が近いかもしれません。

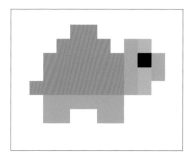

　昔のゲームのキャラクターは「ガタガタ」「カクカク」していましたが、今のCG（コンピュータグラフィックス）はまったくそんなことはありません。これはそれぞれ別物というわけではなく、今のCGがとても滑らかなのは「点の細かさ」が違うからです。一つひとつの点をなるべく小さくして、その代わりに数を増やすと「点」の存在がわからなくなって見た目が滑らかになります。

　つまり、画像は「色のついた点の集合」ですから、ネットワークにはすべての点の色を入力していけばよいことになります。例えば、縦に1,000点，横に2,000点の点の集合でできている画像であれば、およそ200万個分の点の色を入力します。ただ、「色」といっても「赤」や「緑」と入力するわけではなく、数字で表した値を入力します。パソコンやスマートフォンが扱うデジタル画像は、すべての色が3つの色（赤、青、緑）を混ぜ合わせてできています。それぞれの色の強さは0〜255の値で表現されており、例えばこの本のベースカラーになっている赤色は「赤232、青96、緑70」と表せます。つまり、1つの点の色は3つの数字のセットで表されます。今回の場合は、200万個の点×3つの数字=600万になるので、ニューラルネットワークに入力する際はおよそ600万個の入力端子を準備すればよいということになります。

画像の認識方法 ………………………………………………………

　これで、画像の入力方法についてはなんとなくわかったと思いますが、こうして入力された数字をどんどん計算していって、最後に「これはネコの写真です」という答えをどうやって出すのでしょうか。ニューラルネットワークでは、入力された数字に対して最終的に出てくるものも数字です。これで、どうやって動物の識別をするのでしょう？

　例えば、10種類の動物のうちのどれかを認識するネットワークの場合、通常、最終層には10個のニューロンを並べます。つまり、最終的に10個の数字が出力されます。個々のニューロンには「これはネコのニューロン」「これはイヌのニューロン」と10種類の動物を割り当てます。その結果、ネコの画像が入力されるとネコのニューロンからは計算結果として1が出力され、残りの9個のニューロンからは計算結果として0が出力されるように、すべてのニューロンの重みを調整します。その結果、1が出力されたニューロンに対応している動物を答えとすればよいわけです。

ネコっぽさの確率 ……………………………………………………

　しかし、実際にはどんなネコの画像に対してもネコのニューロンから
きっちり 1 が出力されるように重みを調整することはできません。例えば、
「ネコに見えるけど、見方によってはイヌにも見える」画像の場合、イヌ
に対応しているニューロンも 0 より大きな値を出力するといったことが
起こります。つまり、もし両方の動物の特徴があれば、どちらも 0 より
大きな値が出てきます。そこで、この出力の値を見て、「どれくらいその
動物らしいか」という確率を計算することが行われています。この方法は
softmax と呼ばれ、以下の式で定義されます。

$$p_k = \frac{e^{y_k}}{\displaystyle\sum_{i=1}^{N} e^{y_i}}$$

　ここで、y_i は出力層にある i 番目のニューロンからの出力値、N は出力
層にあるニューロンの個数です。この式を見てみると、分子は k 番目の
出力値を e（自然対数の底で「ネイピア数」とも呼ばれ、おおよそ 2.718
くらいの数字）の肩に乗せた値（e^{y_k}）になっており、分母は 1 番目から
N 番目のニューロンの出力値について、e の肩に乗せた値をすべて加算し
たものになっています。ですから、この p_k を 1 番目から N 番目まですべ
て加算すると、分子も分母も同じ値になりますので 1 になります。これは、
p_k の値が、入力が k 番目の動物である確率を表すと解釈することができ
ます。「入力された画像の動物は何なのか」に対する答えは、p_k が一番大
きな k に対応する動物とすればよい（これは softmax を計算しなくても
y_i が一番大きな i を探すことと結果は同じ）わけですが、「入力された画
像がネコである可能性は？」という場合は、softmax を計算し、p_k の値
を答えとすればよいということになります。

ニューラルネットワークの学習方法

　では、どうやって出力の値を望みどおりの値（ネコの画像が入力されれば、ネコのニューロンだけ 1 を出力し、他のニューロンはすべて 0 を出力する）ようにできるのでしょうか。ネコの画像が入力されると、最初の層のニューロンはその入力された値に重みをかけ算し、答えを加算してから活性化関数に入れ、その結果を出力として次のニューロンに渡していきます。ですから、重みやバイアスの値を変化させると当然出力も変化します。もし「いい感じ」の値を見つければ、ネコの画像が入力されたときに、ネコに対応するニューロンからは 1 が、他のすべてのニューロンからは 0 が出力されるとなるように調整することができます。

　そうやって重みをうまく調整すれば問題がなさそうですが、この段階で識別できるネコは、今使ったネコの画像だけです。同じネコの画像でも、他の画像が入力されたときにどうなるかはわかりません。さらにイヌの画像だと、イヌに対応しているニューロンだけが正しく 1 を出力するかもわかりません。

万能な重みはないのか？ ···

　そこで行われるのが、いろんな画像に対して正しい答えを出力するような「万能な重み」を見つけることです。あるネコの画像を入力するとネコに対応するニューロンだけが 1 を出力し、かつ、イヌの画像を入力するとイヌに対応するニューロンだけが 1 を出力する、といったように、2 枚の画像に対してどちらも正解を出力するように重みやバイアスを調整すればよいのです。調整できる重みの個数は非常に多いわけですから、ある画像に対してネコに対応したニューロンだけ 1 を出力させるような重みはいろいろなパターンが考えられます。その中から、イヌの画像が入力されたときはイヌに対応したニューロンだけ 1 が出力されるようなパター

ンを採用すればよいわけです。そんなことできるの？と思う人もいるかも
しれませんが、意外と簡単に実現が可能です。

　では、実際にやってみましょう。ネコの画像のある点（例えば、画面中
央の点）の赤の値が 50 だったとしましょう。一方、イヌの画像の同じ点
の赤の値は 100 だったとします。もちろん、画像の他の点もすべて入力
され、それぞれいろいろな値であるはずですが、今はこの 1 つの点だけ、
しかも赤の値だけを考えます。

　ある 1 つのニューロンは、画像上のすべての点の 3 色の値がすべて入
力されるわけですが、今注目している点の赤の値以外のすべての入力に対
する重みを 0 にします。つまり、どんな値が入力されても 0 がかけ算さ
れるわけですから、答えは 0 になります。一方、注目している点の赤の
値に対する重みは 1 です。また、バイアスの値は–75 としましょう。こ
うすると、ネコの画像が入力されると、総和は 50–75=–25、一方イヌ
の画像であれば 100–75=25 となりますね。この値を活性化関数に入力
するわけですが、ここでは活性化関数として y=tanh(x) を採用します。
そうすると、ネコの画像のとき（図 10.3）は tanh(–25)≒–1、イヌの
画像のとき（図 10.4）は tanh(25)≒1 がこのニューロンの最終的な出
力となります。

　さて、このニューロンの出力が、次の層で 2 つのニューロンに入力さ
れるとします。この 2 つのニューロンは、それぞれネコとイヌに対応さ
せています。ネコに対応したニューロンは、重みとして–10、バイアス
10 が設定されています。そうすると、ネコの画像が入力されたとき（1
層目のニューロンの出力は–1）は y=tanh((–1)×(–10)+10)=tanh(20)
≒1 となり、イヌの画像が入力されたとき（1 層目のニューロンの出力は 1）
は y=tanh(1×(–10)+10)=tanh(0)=0 となります。一方、イヌに対応し
たニューロンは重みを 10、バイアスを 10 とすれば、ネコの画像のとき
は y=tanh((–1)×10+10)=tanh(0)=0、イヌの画像のときは y=tanh(1×

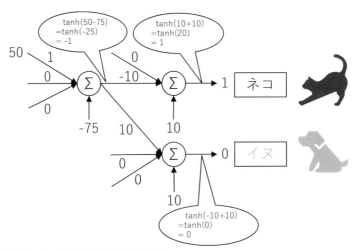

図 10.3：ネコの画像が入力されたときの計算

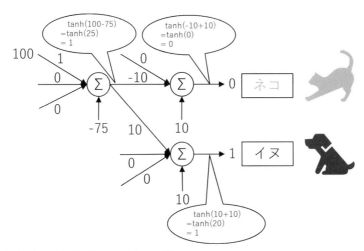

図 10.4：イヌの画像が入力されたときの計算

10+10)=tanh(20)≒1 となります。これで望んだ出力になったはずです。画像内の他の点の値に対しては、すべて重みを 0 にしてしまえば、ないのと一緒ですから問題はありません。

　このようにして、複数の入力画像に対して、それぞれ望んだ出力が出る
ように重みやバイアスの値を調整するということは可能です。もちろん、
入力画像の数が増えてくると、それらをすべて満足させるような重みの値
を探すのがどんどん大変になってきて、そのうち「全部は無理」というこ
とになります。でも、なるべく全部の入力に対して望んだ出力に近い値を
出すように重みやバイアスの値を調整しよう、というのがニューラルネッ
トワークの学習方法の基本的な考え方です。

ニューラルネットワークの学習方法 ･･････････････････････････････

　具体的には、以下のような手順でニューラルネットワーク学習（重みや
バイアスの値を決める）を行います。

(1) 学習データを準備する。入力とそれに対する正解（教師信号）のペ
アを数多く用意する
(2) ニューラルネットワークの重みやバイアスの値を適当に（乱数など
で）決める
(3) すべての学習データをネットワークに入力し、出力の値を計算する
(4) ネットワークから出力された値と教師信号の値を比較し、その誤差
を計算する
(5) 誤差が小さくなるように、重みなどの値を変更する
(6) 誤差が0になる、もしくは減らなくなるまで、手順3以降を繰り返
す

　このようにして、学習データを入力したときの出力が教師信号に等しく
なるように重みなどの値を決定していきます。このとき、誤差が小さくな
るように、まずはネットワークの最終層（出力を出す層）の重みを調整し、
その結果を使いながら1層前の重みを調整し…と言うようにどんどん前
に遡って重みの調整を行っていくことから、**誤差逆伝播法**（back-
propagation）と呼ばれます。ただ、この方法は、学習データの誤差は
減らしますが、評価データの誤差がどうなるかわかりません。ですから、

学習データに特化してしまう（過学習してしまう）ことを避けるためにさまざまな対策がとられています。

◆ 学習データの量を増やす

これは対策の王道です。どれくらいの量があれば十分なのかについては、その問題によりますので一概には言えませんが、一般的にネットワークの規模が大きくなる（学習しなければならない重みなどの個数が増える）と学習データはより多くの量が必要になると言われています。学習データの量が増やせない場合は、逆にネットワークの規模を小さくするという対策も有効です

◆ 過学習が起こる前に学習を停止する

学習において、重みの更新を繰り返すと、誤差が減っていきます。つまりこれは、学習データに特化していっているということです。ですので、ある程度誤差が小さくなってきたら、それ以上重みの更新を行わずに学習を終えるという方法がとられます。このとき、学習データ以外に評価データを用意しておき、評価データに対する誤差が増え出したら学習を止めるということもよく行われています。

ニューラルネットワークを学習するときは、過学習が生じないよう、学習データに対する誤差と評価データに対する誤差の値がどうなっているのか、その動きに注意する必要があります。

10-4

代表的な
ニューラルネットワークの形状

　ここでは、よく使われているニューラルネットワークについて、少しだけですが紹介していきます。

① 多層パーセプトロン（multilayer perceptron：MLP）

　これは、今まで説明してきたニューラルネットワークのイメージです。ニューロンがいくつか並んで層を作り、それが何層かつながって一つのネットワークを作ります。基本的に前の層のすべてのニューロンの出力が、それぞれ次の層のすべてのニューロンに接続されていることから、各層のことは**全結合層**（fully-connected layer）と呼ばれたりもしています。

　ニューラルネットワークの中でも基本的な構造であることから、さまざまな場面で使われています。また、このあと紹介する他の形状のネットワークの一部としても使われることがあります。一つのデータが入力されると、それに対する出力が計算されます。当然ですが、同じデータが入力されれば、まったく同じ値が出力されます。

② 畳み込みニューラルネットワーク（convolutional neural network：CNN）

　これは「畳み込み」と呼ばれる演算が組み込まれているニューラルネットワークです。「畳み込み」はもともと数学の用語で、イメージから言うと、何か固定の形の物を別の物に重ねあわせて演算を行います。そして、重ねる位置をずらしながら同じ演算を繰り返していくといった感じです。何だかよくわからないと思いますので、もう少し詳しく説明しましょう。

　ここまで説明してきた MLP では、前の層にあるすべてのニューロンの出力が、次の層のすべてのニューロンに入力されていました。しかし

CNN では、次の層にあるニューロンには、前の層の一部のニューロンの出力しか入力されません。CNN は画像処理でよく用いられていますので、画像が入力された場合を例にとって説明します。

　例えば、横が 640 点、縦が 360 点の画像が入力されたとします。全部で 230,400 点ですね。このとき、次の層のニューロンには、23 万点すべての値が入力されるのではなく、小さな領域（例えば縦横それぞれ 16 点ずつ、全部で 256 点）の値だけ入力するようにします。他の領域の数字は全部捨てられてしまうわけではありません。ニューロンによってどこの領域からの入力だけ使うかが異なるのです。

　1 つ目のニューロンは、入力画像の左上の点から縦横それぞれ 16 点の領域からだけ入力を受けつけます。一方、2 つ目のニューロンは、画像の左上から横に 1 点だけずらした点を起点に、縦横それぞれ 16 点の領域の値を入力とします。同じ 16 点四方の領域ですが、場所が横に 1 点分ずれているというわけです。同じように、2 段目には縦に 1 点分ずらした領域から入力を受けとるニューロンも存在します。2 点分ずらす、3 点分ずらす…といった領域を担当するニューロンもそれぞれ作ります。

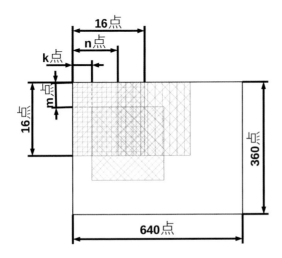

各ニューロンに入力される領域。緑色は 1 段目の 1 個目、赤は 1 段目の n 個目、青は m 段目の k 個目のニューロンに入力される。

　このように、次の層にあるニューロンは、小さな領域からだけ入力を受けつけるという意味では同じですが、その担当する領域の場所はそれぞれ違っています。複数のニューロンがそれぞれ異なる領域を担当し、全体として入力画像全面をカバーするという形です。また、CNN の構造でもう一つ注意しなければいけないことは、各領域から入力を受けとるときに使われる重みの値が、すべてのニューロンで共通であるということです。

　先ほどの例だと、1 つ目のニューロンは入力画像の左上を起点にした領域の値を受けとりましたが、そのときに入力された値にそれぞれ重みの値をかけ算して総和をとっています。ここで使われた重みの値は、領域のサイズが 16 点 ×16 点だとすると、全部で 256 個の重みの値があることになります。そして、2 つ目のニューロンも場所が横に 1 点分ずれた領域から値を受けとるわけですが、このときにかけ算される重みの値のセットは、先ほど 1 つ目のニューロンが使った 256 個の値と同じ値を使うという制約があるのです。この重みのセットのことを**畳み込みカーネル**と呼びます。

　重みの値は、学習データに対する出力の誤差が小さくなるように決めていくわけですが、このとき、ある層のすべてのニューロンが使う重みの値は同じであるという制約をかけ、その制約を守っている範囲の中でなるべく誤差が小さくなる重みを見つける、という計算になります。なぜそんなことをするのか？　それは「同じような特徴を画像の中から探し出す」ことができるからです。

　画像の認識をする際、どうやって「これはネコだ」と判断するのでしょうか？　人間であれば、まず「ネコっぽい物」を探すわけですが、もう少し具体的に言うと、それは画像の中から縦線や横線、または模様といった物を見つけてきて、それらをつないでネコっぽいかどうか判断しているということになります。つまり、最初に「どこに線があるか」といったことを判断する必要があります。それを行っているのがCNN です。CNN では、

ある小さな領域に対する重みを、入力画像中の位置をずらしながらどんど
ん計算に用いていきます。例えば、領域中に横線があると総和が大きくな
るような重みの値のセット（畳み込みカーネル）があれば、それを入力画
像中にずらしながら計算していくことで、どこに横線があるかどうかがわ
かります。同じように縦線を発見するカーネルとか、ベタ塗り（単色で変
化のない色で塗られた領域）を発見するカーネルとか、そうしたものを使
うと、どこにどのような特徴があるのか次々に発見していくことができる
のです。

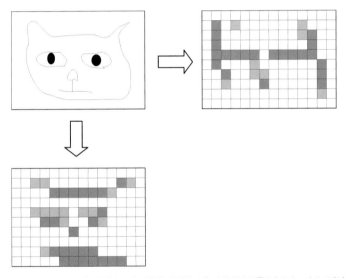

入力画像に対し、縦線（右側の図）や横線（下側の図）を発見する畳み込みカーネルの出力イメージ

　なお、使われる畳み込みカーネルは１種類だけではありません。ある
畳み込みカーネルは、画像上の特定の特徴を抽出することができます。と
いうことは、カーネルを複数使えば、さまざまな特徴を抽出することがで
きるのです。先ほど説明したとおり、ある一つの畳み込みカーネルを使っ
て、入力画像の領域をずらしながら複数のニューロンへと入力が行われま
す。同じように、別のカーネルを使って領域をずらしながら別のニューロ
ンへの入力を行います。結果として、入力画像と接続されている「次の層」

は、カーネルを 10 種類使うとすると 10 個あるということになります。これらは**チャンネル**と呼ばれ、お互いに接続されているわけではありません。使うカーネルの数を増やしていけば、それに対応したチャンネル数も増えていくという関係にあります。

　ここで注意してほしい点は、各カーネルで使われる重みの値も、学習によって自動的に決まるということです。先ほど「縦線を発見するカーネル」といった表現をしましたが、本当にそうしたカーネルが使われるのかはわかりません。学習データに対する誤差を最小にするという基準のもとで、最適なカーネルが学習されます。つまり、学習データを識別する上で一番重要な画像の特徴を抽出するようなカーネルが自動的に学習されるということです。「さすが深層学習！」という感じですが、その前までは人間が「どんな特徴を抽出すれば高精度にネコを認識できるのか」といったことを考え、手動で特徴抽出法を開発していました。しかし、今ではどんな特徴量を使うのかといったことも含めて最適なものを自動で学習できてしまいます。それが精度を向上させた理由の一つでもあります。

　さらに、この**畳み込み層**を重ねていくことにより、より複雑な特徴を抽出するようなカーネルを構成することができます。この際、間に**プーリング層**と呼ばれる層を挟むことがよく行われます。プーリング層は、1 つのニューロンが前段の層のある一定の範囲（例えば 2 点 ×2 点）を担当し、その範囲の中での最大値を出力するといったものです。担当する範囲が重ならないように設定すると、前段の層に比べてニューロン数が少なくなります（2 点 ×2 点から最大値をとるとすると、例えば前段の層が 640 点×360 点あれば、プーリング層の出力は 320 点 ×180 点になります）。こうしたプーリング層を入れると「位置ずれ」に強くなります。同じ入力画像でも、少し横にずれると畳み込みカーネルの出力も横にずれたようなものになります。例えば、縦線に対して大きな値を出力する畳み込みカーネルがあったとして、入力画像が横にずれると、畳み込みカーネルの出力も横にずれた位置に大きな値が出てくることになります。

　その結果、同じ動物だと判定されなくなってしまうと困ります。そこで、多少横にずれても大丈夫なようにプーリング層を入れるのです。プーリング層が担当している範囲内に畳み込みカーネルからの大きな出力があれば、位置がずれていてもプーリング層の出力は同じになります。プーリング層では、先ほど説明した最大値をとるもの（これを「max pooling」と呼びます）だけではなく、平均値をとるもの（「average pooling」）といったものも利用されます。CNN が行っていることは、人間が物を見るときにも脳内の視覚野と呼ばれる場所で行われていると言われています。人間の脳内には、視野の中である場所に物が見えたときにだけ反応する細胞や、ある方向の線を見たときにだけ反応する細胞などがあり、それらの情報が次々に統合されて最終的に見た物が何であるのか認識しています。これは CNN のカーネルが行っている動きに似ていますよね。

③ 回帰型ニューラルネットワーク（recurrent neural network：RNN）

　今まで見てきた MLP や CNN は、1 つの入力に対して 1 つの出力が得られます。学習が終わり、重みなどの値が固定されている状態では、同じ入力に対しては必ず同じ出力が得られます。こうした挙動を「記憶がない」と呼びます。「記憶がない」とはどういうことか、少し例をあげて説明しましょう。

　突然、子ネコの写真を見せましたが、どんなことを感じたでしょうか？

可愛くて思わず笑顔になった人もいるかもしれません。ではここで、子ネコに関係する情報を一つ。環境省の調査によると、年におよそ3万匹の子ネコが保護され、そのうち1万3千匹が殺処分されるそうです（2020年度のデータ）。1日あたり約35匹という数です。ではもう一度、先ほどの写真を見てみましょう。写っているのが捨てられた子ネコに見えてきて「可哀そう」と感じたのではないでしょうか。同じ写真のはずなのに、かなり感想が変わってしまいました。

　これが「記憶がある」ということです。同じ入力（ここでは子ネコの写真）に対して、出力が変化（「可愛い」から「可哀そう」へ）しました。ニューラルネットワークでも、同じ入力であっても（以前に入力されたデータによって）出力が変化するというネットワークがあります。それが、回帰型ニューラルネットワークです。RNNは、以前にどのような入力があったかを憶えておき、それによって出力が変化します。具体的には、あるニューロンへの入力は、その前の層のニューロンの出力だけではなく、同じ層や後ろの層にあるニューロンの1ステップ前の出力も入力されます。1ステップ前とは、1つ前のデータ入力に対する出力ということです。つまり、RNNでは連続してデータが入力されていくことを前提にしています。

　あるRNNに対して、1つデータが入力されると出力が計算されます。ここまではMLPなどと同じですが、次にRNNにデータが入力されると、そのデータの値だけではなく、1つ前の各ニューロンの出力値も計算に使われます。ですから、同じデータを入力したとしても、その1つ前にどのようなデータが入力されていたかによって出力の値が変わるのです。これが「記憶がある」という意味になります。

　RNNが実際に使われている例として自動翻訳システムがあります。英訳する場合はまず日本語を入力していくことになりますが、いくつ単語が入力されるかは入力される文章によって当然変わります。ですから、画像を入力していたときとは異なり、入力端子を何個用意しておけばいいのか

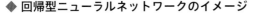

◆ 回帰型ニューラルネットワークのイメージ

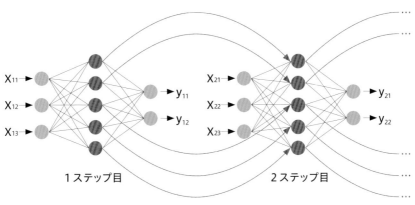

1ステップ目　　　　　　　　　　2ステップ目

がわかりません。そこで利用されるのが RNN です。ここでは、まず最初の 1 単語だけ入力します。すると、何らかの計算をして出力が出てくるわけですが、とりあえずそれは無視します。ここで出てきた出力は、最初の 1 単語だけの情報しかありません。日本語全体を翻訳するのに情報が全然足りません。

　次に 2 単語目を入力します。このとき、RNN は 1 単語目で計算した各ニューロンの出力値も使いながら出力を計算しますので、出てきた出力の値は、1 単語目と 2 単語目の両方から計算された値ということになります。さらに 3 単語目を入力すると、出てきた出力は 1 単語目から 3 単語目までから計算された値ということになります。続けて 4 単語目、5 単語目と次々入力していけば、最後の単語を入力したときの出力は、1 単語目から最後の単語まですべての単語を使って計算した出力ということになります。この最後の単語が入力されたときの出力だけを使うというのが RNN の一つの使い方です。

　ニューラルネットワークによる自動翻訳では、この出力された値を別のネットワークの入力にして、翻訳後（この場合は英語）の単語列を次々と

生成していくことになります。こうした方法は自動翻訳だけでなく、時系列データ（単語列や音声、音楽や動画など、時間とともにデータが次々と並んでいるもの）を処理するときによく用いられています。なお、RNNはある一つのネットワークではなく、「回帰型」と呼ばれる特徴を持ったネットワークの総称です。RNN に含まれるネットワークの例として、**LSTM**（long short-term memory）　や **GRU**（gated recurrent unit）といったモデルがよく用いられています。

④ トランスフォーマー（transformer）

　RNN は記憶を持つことから、主に時系列データに対して用いられていますが、一つひとつ順番にデータを入力していかなければならないことから、同時並列に計算を実行することができず、モデルの学習などに時間がかかることが欠点としてあげられます。この欠点を解消するため、回帰型ではないにもかかわらず、アテンション機構を導入することで同等の性能を持たせたトランスフォーマーと呼ばれるモデルが、近年ではよく用いられています。ここではごく簡単にこれらのモデルを紹介します。

　まず**アテンション機構**です。これは「attention mechanism」と呼ばれるもので、日本語では**注意機構**と表現されたりもします。これは文字どおり、「どこに注意を向けるか」といったしくみを取り入れたものです。ここでは、日本語から英語に自動翻訳することを例に説明してみましょう。日本語から英語に翻訳する場合、単に単語を一つひとつを翻訳していくだけでは駄目ですよね。語順も違いますし、場合によっては日本語だと一つの単語が英語だと複数になるなんてこともあります。

　RNN では、先ほど説明したとおり、すべての単語を順番に入力していくことで、最後の単語を入力したときの出力は、最初から最後まで全部の単語の情報を持っているとしたわけですが、こうしたモデルでは文が長かったりすると、どうしても最初の方の単語の情報は失なわれていってしまいます（最初の単語だけ異なり、あとは全部同じ単語列になっている 2

文を入力すると、その出力はほぼ同じ値になってしまう)。そこで、英語の次の単語を予測するときは、元の日本語のどの単語に注目すればよいかということを計算してしまおう、というのがアテンション機構です。

アテンション機構では、次の単語を予測するとき、もともとの日本語の単語の中でどの単語に注目すればよいか、どの単語の情報を使えばよいかといった指標を計算し、得られた指標に従って情報をとってくるということを実現しています。この指標を計算するための重みも自動で学習されるというところが機械学習のよいところです。他の重みと同じように、学習データを入力したときに正解の単語が出てくるよう、最適化するというわけです。結果的に、よい情報をとってこれるような指標を計算するための重みが自動で獲得できるということになります。

このしくみを利用したのが**トランスフォーマー**です。トランスフォーマーでは、まず日本語の単語を入力し、日本語の各単語に含まれる情報と、英語の単語を生成するときにどの情報が必要かという指標を計算します。このとき、RNN のように「前の単語の情報を使う」ということはしませんので、同時並列に(例えば入力する日本語の文が 20 単語であれば、20 台の計算機を使って同時に)計算することができます。その後、こうした情報を利用して英単語を生成していくということを行います。

本物のトランスフォーマーは、ここで紹介した以外にもいろいろな工夫を入れて実現されていますが、RNN などと比較して性能がよく、また同時並列に計算ができることから膨大な量の学習データを使って学習することができます。その結果、自動翻訳をはじめ、文章の要約作成や会話の応答生成など、さまざまな分野で利用されています。近年の AI 技術の発展の一部はトランスフォーマーのおかげと言っても過言ではありません。

【編者】

土屋誠司（つちや・せいじ）

同志社大学理工学部インテリジェント情報工学科教授、人工知能工学研究センター・センター長。同志社大学工学部知識工学科卒業、同志社大学大学院工学研究科博士課程修了。徳島大学大学院ソシオテクノサイエンス研究部助教、同志社大学理工学部インテリジェント情報工学科准教授などを経て、2017年より現職。主な研究テーマは知識・概念処理、常識・感情判断、意味解釈。著書に『やさしく知りたい先端科学シリーズ　はじめてのAI』『AI時代を生き抜くプログラミング的思考が身につくシリーズ』（創元社）、『はじめての自然言語処理』（森北出版）がある。

【著者】

鈴木基之（すずき・もとゆき）

大阪工業大学情報科学部情報メディア学科教授。東北大学工学部情報工学科卒業、同大大学院博士前期課程修了。同大大型計算機センター助手、英国エジンバラ大学客員研究員、徳島大学大学院ソシオテクノサイエンス研究部准教授、大阪工業大学情報科学部情報メディア学科准教授などを経て、2017年より現職。博士（工学）。同志社大学人工知能工学研究センター嘱託研究員。主な研究テーマは音声の認識や理解、感情の認識、音声対話システム、音楽情報処理。著書に『発見科学とデータマイニング』（共立出版、共著）、『生体情報計測による感情の可視化技術』（技術情報協会、共著）がある。

本書に対するご意見およびご質問は創元社大阪本社編集部宛まで郵送かFAXにてお送りください。お受けできる質問は本書の記載内容に限らせていただきます。なお、お電話での質問にはお答えできませんのであらかじめご了承ください。

身近なモノやサービスから学ぶ「情報」教室❹
アルゴリズムとデータサイエンス
2023年8月20日　第1版第1刷発行

編者	土屋誠司
著者	鈴木基之
発行者	矢部敬一
発行所	株式会社 創元社
	https://www.sogensha.co.jp/
	〈本社〉〒541-0047 大阪市中央区淡路町4-3-6
	Tel.06-6231-9010 Fax.06-6233-3111
	〈東京支店〉〒101-0051 東京都千代田区神田神保町1-2 田辺ビル
	Tel.03-6811-0662
デザイン	椎名麻美
印刷所	図書印刷株式会社

©2023 Motoyuki Suzuki　ISBN978-4-422-40084-6 C0355
Printed in Japan

落丁・乱丁のときはお取り替えいたします。